1色刺繡
と
小さな雑貨

デザイン・製作
樋口愉美子

はじめに

さまざまな色の刺繍糸から1色を選んで刺す刺繍を「1色刺繍」と名づけました。
1色なので、初心者にもはじめやすく、
少し複雑な図案でも美しくまとめることができます。
ステッチの組合せ次第で、
表情を変えたり立体感を加えたりできるのも、1色刺繍の魅力。
本書では、シンプルで子どもから大人まで
幅広く使っていただけるような図案を紹介しています。
そしてそれらの図案を、小さな雑貨に仕立てました。
刺繍糸との相性ぴったりのリネンを使った、やわらかで心地よい自慢の雑貨たちです。

この本には大小さまざまな図案を掲載しています。
そのまま刺してもよし、図案の中から気に入った部分を
抜き出しても使えるように考えました。
迷ったら、まずは大好きな色でシンプルなワンポイント刺繍から
はじめてみてはいかがでしょう。
この本で、1針1針描いていく刺繍の楽しさを感じていただければと思います。

Contents

Botanical garden	6 / 58		*Silhouette of flower*	20 / 65	
がま口ポーチ	8 / 56		ガーデンエプロン	21 / 80	
Floral pattern	10 / 60		*Coral*	22 / 66	
クラッチバッグ	9 / 76		がま口ポーチ	23 / 80	
Night forest	12 / 62		*Floral pattern*	24 / 67	
ブックカバー	13 / 77		ヘアバンド	25 / 81	
Mimose	14 / 63		*Ribbon*	26 / 66	
ハットタイ	15 / 78		ミニがま口ポーチ	27 / 82	
Soft flower	16 / 64		*Herb garden*	28 / 68	
つけ衿	17 / 78		クロス	30 / 83	
Red tree	18 / 65		*Blue tite*	31 / 70	
クッション	19 / 79		ピンクッション	31 / 83	

Birds and Tree ギフトカード	32 / 71 33 / 84	*Whale* スタイ	42 / 75 43 / 89
Snow crystal 湯たんぽケース	34 / 72 35 / 85	*Dandelion* Tシャツ	44 / 72 45 / 90
Paisley ポーチ	36 / 73 37 / 86	*Feather* ベビードレス	46 / 75 47 / 90
Small flower ブローチ	38 / 74 38 / 87		
Birds オーナメント	39 / 74 39 / 88	*How to make* 道具 49 糸 50 材料 51 ステッチと刺繍の基本 52 がま口雑貨の作り方 56	
Margaret サシェ	40 / 72 41 / 88		

Botanical garden
Page.58

虫や鳥が自由に飛び回る植物園をイメージした図案。各モチーフをワンポイント刺繍しても楽しめるでしょう。

Botanical garden
がま口ポーチ Page.56

モチーフの多い作品も、1色でシンプルな技法を繰り返すことできれいにまとまります。

Floral pattern
クラッチバッグ　Page.76

図案の雰囲気を生かして、よそいきにぴったりのクラッチバッグに仕立てました。バネ口金を使用して使い勝手も◯。

Floral pattern
Page.60

大きな花の図案は、細かいチェーン・ステッチで曲線をなぞるように刺していきましょう。

ブックカバー　　Page.77

静まる森に鳥が潜んでいます。物思いにふける読書の時間に、そっと寄り添うブックカバーです。

Mimose
Page.63

ハットタイ　　*Page.78*

1粒1粒にボリュームを出して、小さなミモザの花を表現しています。麦わらに合わせたいハットタイ。

Soft flower
Page.64

つけ衿　Page.78

優しさが漂うやわらかな花の図案。白地に水色の清楚な色合いで、シンプルだけど贅沢なつけ衿に仕上げましょう。

Red tree
Page.65

クッション　　Page.79

2種類のステッチで描いた赤い木。赤糸と生成りの布の組合せで、存在感のあるクッションに。

Silhouette of flower
Page.65

ガーデンエプロン　*Page.80*

大きめのポケットにすっと伸びる不思議な花。土いじりの時間が楽しくなるエプロンです。

Coral
Page.66

がま口ポーチ　*Page.80*

コーラルレッドの小さな珊瑚は、2種のステッチでシンプルに仕上げています。1つでも2つでも、自由に刺してみましょう。

Floral pattern
Page.67

ヘアバンド　*Page.81*

図案の異なる4つの花のパターン。
かわいらしい図案も1色になると
大人っぽく仕上がります。

Ribbon
Page.66

ミニがま口ポーチ　*Page.82*

シンプルなリボンの刺繍は、チェーン・ステッチを細かめにすきまなく刺すのがポイントです。

Herb garden
Page.68

細かいハーブの葉はアウトライン・ステッチやチェーン・ステッチで線として表現します。

Herb garden
クロス　Page.83

角にポイントとして刺したり、
全体にモチーフを散らしたり、
自由にアレンジできます。

Blue tile
ピンクッション　Page.70,83

クラシカルなタイル模様をあしらったピンクッション。太めのチェーン・ステッチで存在感のあるものに。

Birds and Tree
Page.71

ギフトカード　*Page.84*

古典的なクロス・ステッチの図案をヒントに、木と鳥がシンメトリーに並びます。大切なかたへのギフトカードに。

Snow crystal

Page.72

湯たんぽケース　Page.85

幾何学模様の雪の結晶。しっかり布を張ってアウトライン・ステッチから刺しはじめるのがコツです。

Paisley
Page. 73

ポーチ　Page.86

花のモチーフを取り入れたペーズリー柄。袋口をひもで結ぶシンプルなポーチに仕立てました。

Small flower
ブローチ　Page.74, 87

小さな小さなふっくらリボン。糸と布の配色を変え、たくさん作って思いっきりカラフルに楽しんで。

Birds
オーナメント　Page.74, 88

着古しのセーターでリメークした鳥のオーナメント。テーブルや壁の飾りに。図案は Small flower と同じです。

Margaret

Page.72

サシェ　*Page.88*

可憐なマーガレットの図案も、
黒×白の配色で大人の雰囲気。
サシェには好きな香りを包みま
しょう。

Whale

Page.75

スタイ　Page.89

2種類のシンプルなステッチで仕上げたくじらのスタイ。出産祝いに贈りたい一品です。

Dandelion
Page.72

Tシャツ　Page.90

Tシャツの胸に花咲くタンポポ。
太めの糸でボリューム感を出せば、
ワンポイントでも充分です。

Feather
Page.75

ベビードレス　*Page.90*

ふわふわとドレスの裾に舞う羽根。
太めのアウトライン・ステッチを
軸に、細いチェーン・ステッチで
羽根の1本1本を表現してます。

How to make

フランス刺繡の手法を使用している1色刺繡。
美しく仕上げるためのステッチやコツなど刺繡の基本を紹介します。
図案集や雑貨の作り方もこちらからどうぞ。

Tools 道具

1. *針&ピンクッション*
   先のとがったフランス刺繡用の針を用意しましょう。25番刺繡糸の本数によって適した針が異なります。

2. *糸切りばさみ*
   先のとがった刃の薄いタイプが使いやすいでしょう。

3. *目打ち*
   刺し直しをする場合にあると便利な道具。

4. *糸通し*
   針穴に糸を通すのが苦手な人に。

5. *刺繡枠*
   布をピンと張るための枠。枠の大きさは図案サイズで使い分けますが、直径10cm程度のものがおすすめ。

6. *チョークペーパー*
   図案を布地に写すための複写紙。黒など濃色の布地に写す場合は白いチョークペーパーを使います。

7. *トレーシングペーパー*
   図案を写すための薄い紙。

8. *セロファン*
   トレーシングペーパーが破れないよう、図案を布地に写すときに使います。

9. *トレーサー*
   図案をなぞって布地に写すときに使用します。ボールペンなどで代用可能。

10. *裁ちばさみ*
    切れ味のよい布専用のはさみを用意しましょう。

Thread 糸

25番の刺繍糸が最もポピュラー。メーカーによって発色や色番号が異なります。フランスのDMCは本書で使用している糸。鮮やかな発色と艶のある質感が特徴です。1束の長さは8メートルほど。

糸の本数によって針の太さを替える

糸の本数によって針を替えると、ぐんと刺しやすくなります。布の厚さによっても変わるので、クロバーの針の目安を紹介します。

25番刺繍糸	刺繍針
8本どり	3号
6本どり	3・4号
3・4本どり	5・6号
1・2本どり	7〜10号

Materials 材料

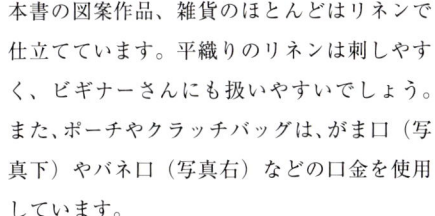

本書の図案作品、雑貨のほとんどはリネンで仕立てています。平織りのリネンは刺しやすく、ビギナーさんにも扱いやすいでしょう。また、ポーチやクラッチバッグは、がま口（写真下）やバネ口（写真右）などの口金を使用しています。

リネンはまず水通しをする

リネン生地は洗うと縮む特性があります。形くずれを防ぐためには、生地を裁つ前に水通しをしましょう。

1. たっぷりのぬるま湯や水に数時間漬け置いた後洗濯。軽めに脱水します。
2. 日陰で干し、完全に乾く前に布目を整えながらアイロンをかけます。

ステッチと刺繡の基本

ステッチは8種類、どれもベーシックなものばかり。きれいに仕上げるためのコツも紹介します。

Straight stitch
ストレート・ステッチ

短い線を描くときのステッチ。木の枝などの図案に使用しています。

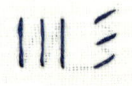

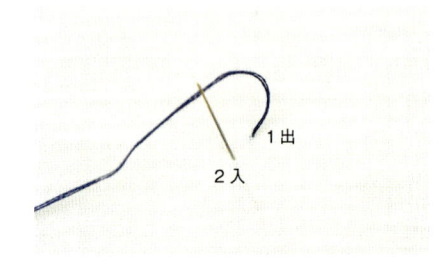

1出
2入

Outline stitch
アウトライン・ステッチ

縁とりなどに使います。カーブでは細かめに刺すときれいに仕上がります。

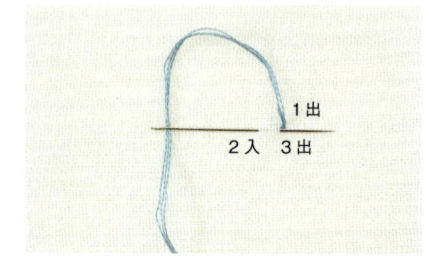

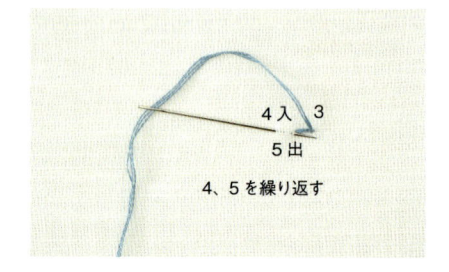

1出
2入　3出

4入　3
5出

4、5を繰り返す

Running stitch
ランニング・ステッチ

いわゆる並縫い。「Botanical garden」(p.58)のみで使っているステッチです。

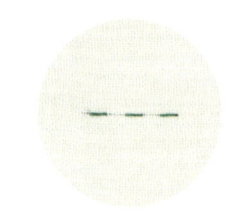

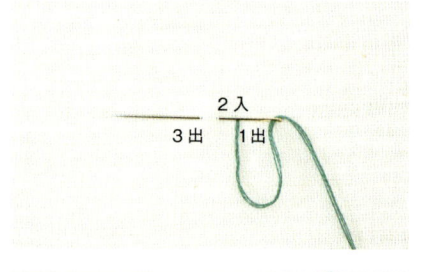

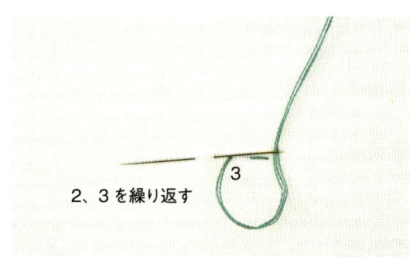

2入
3出　1出

3

2、3を繰り返す

Chain stitch
チェーン・ステッチ

糸を強く引きすぎず、鎖をふっくらさせるのがきれいのコツです。

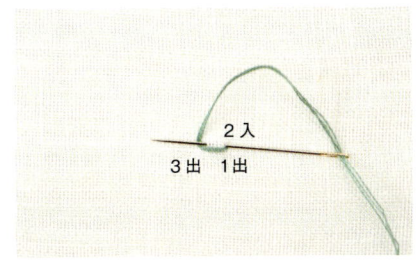

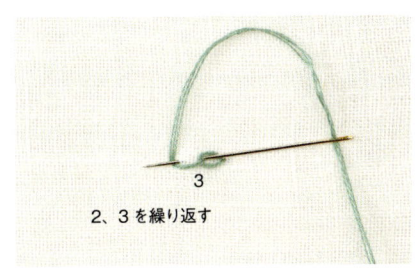

2入
3出　1出

2、3を繰り返す

French knot stitch
フレンチナッツ・ステッチ

フレンチナッツ・ステッチは基本2回巻き。大きさは糸の本数で調整を。

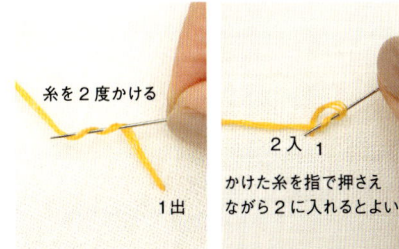

糸を2度かける
1出

2入　1
かけた糸を指で押さえながら2に入れるとよい

2
糸を引く

指で押さえながら糸を下に引く

Satin stitch
サテン・ステッチ

糸を平行に渡して、面を埋めるステッチ。ボリューム感を出したいときに。

アウトライン・ステッチ
3本どりで縁とる

6本どりで
縁とりを隠すように
糸をかぶせる

53

Lazy daisy stitch
レゼーデージー・ステッチ

小花の花びらなど小さな模様を描くときのステッチ。

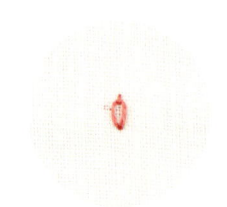

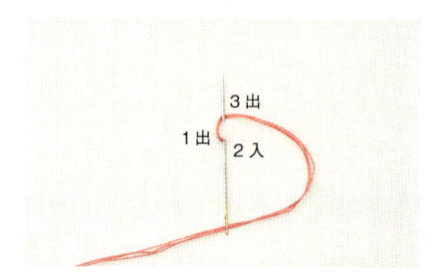

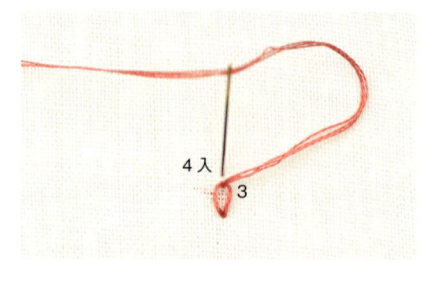

1出　2入　3出

4入　3

Lazy daisy stitch + Straight stitch
レゼーデージー・ステッチ＋ストレート・ステッチ

レゼーデージーの中央に糸を渡して、ボリューム感のあるだ円を表現。

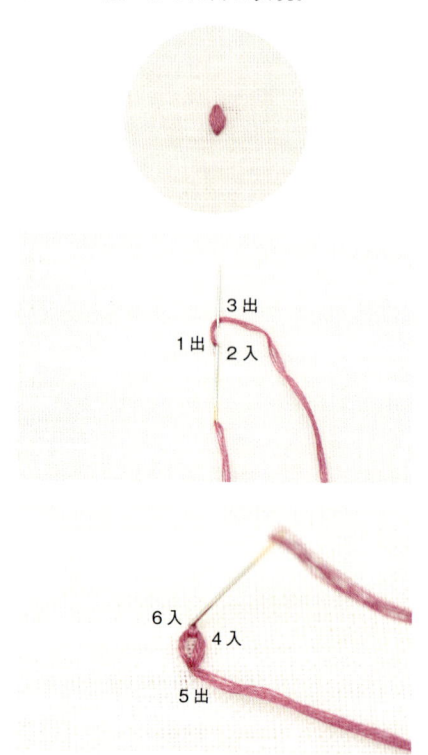

1出　2入　3出

6入　4入　5出

{ 刺し始めと刺し終り }

刺し始めと終りの位置は自由です。ただ、雑貨にも仕立てる1色刺繍では必ず玉止めをしましょう。

OK

1cm以上縫い目が飛ぶときは、必ず玉止めをします。

NG

図案ごとに玉止めをするのが基本。引っかけ防止にも有効です。

{ 図案の写し方 }

まず布地に図案を写すところから始めましょう。図案は布地のたて糸とよこ糸にそって配置します。

1 図案にトレーシングペーパーをのせ、写します。

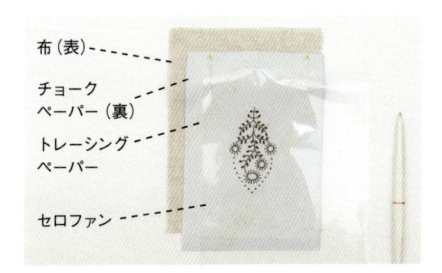

布（表）
チョークペーパー（裏）
トレーシングペーパー
セロファン

2 写真の順に重ね、まち針でとめてから、トレーサーで図案をなぞります。

{ 糸の扱い方 }

指定の本数を1本ずつ引き出し、そろえて使いましょう。毛並みがそろって仕上りが格段に美しくなります。

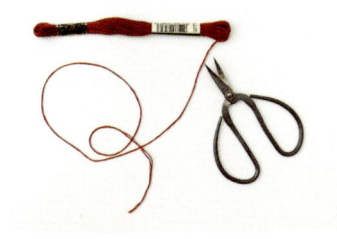

1 60cm程度の長さに引き出して糸を切ります。

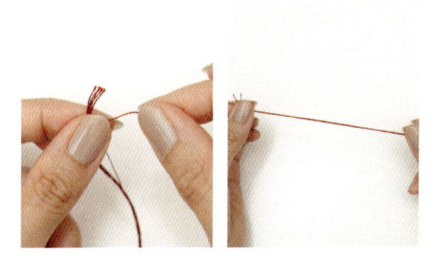

2 より合わさった糸から、1本ずつ必要本数を引き出してそろえます。

{ 面をきれいに埋める }

チェーン・ステッチやフレンチナッツ・ステッチなどで面を埋める場合、すきまができないように注意します。

1 図案の輪郭を刺します。

2 輪郭にそわせて2列目、3列目と外側から中心に向かって刺します。

55

がま口雑貨の作り方

Botanical garden
がま口ポーチ

Page. 8

【仕上りサイズ】
22 × 12cm

【25番刺繍糸】
DMC 336 — 4束

【材料】
表布：リネン（白）— 30 × 30cm
裏布：リネン（ベージュ）— 30 × 30cm
幅18cmがま口口金（7.5 × 18cm）黒 — 1個
紙ひも：適量

【道具】
がま口とりつけ用
木工用ボンド
目打ちまたはマイナスドライバー
足どめやっとこ

1 表布の表に図案、裏に型紙(p.91)を写したら、布を裁つ前に刺繍をする。

2 縫い代1cmを足して布を裁つ。裏布も同様に縫い代を足してから裁つ。

3 表布の両脇を縫い、縫い代を割ったら、底の端を縦につぶしてまちを縫う。裏布も同様にして両脇とまちを縫う。

4 表袋と裏袋を中表にして合わせたら、整えてまち針でとめる。

5　返し口を5cm程度あけ、袋口をぐるりと縫う。

6　返し口から表に返し、形を整えたら、袋口0.2cmの位置にミシンステッチをかける。その際端から2、3cmは縫わない。

7　がま口の口金の内側に木工用ボンドを塗る。ボンドは奥と側面にまんべんなく広げる。

8　口金と袋の中心を合わせてから、袋口を口金の内側に差し入れる。その際袋口が口金の奥まで入るように。

9　がま口の長さよりやや短めに切った紙ひもを、口金の内側に押し込む。入れにくい場合は、紙ひもをほどいて裂いてもよい。

10　口金の端を布きれではさみ、足どめやっとこを使って締める。木工用ボンドが乾くまで置いておく。

Botanical garden
Page. 6

◎ 25番刺繡糸 — DMC 336
※指定以外はアウトラインS（3）

- レゼーデージーS＋ストレートS（6）
- チェーンS（3）で埋める
- サテンS（6）
- チェーンS（3）で埋める
- フレンチナッツ（6）
- アウトラインS（6）
- チェーンS（3）で埋める
- サテン S（6）
- チェーン S（3）
- チェーンS（3）で埋める
- アウトラインS（3）で縁とり
- ストレートS（3）
- アウトラインS（6）
- チェーンS（3）で埋める
- ランニングS（3）
- サテンS（6）
- チェーンS（3）
- フレンチナッツS（6）
- ランニングS（3）
- ストレートS（3）
- フレンチナッツS（6）
- チェーンS（3）で埋める
- アウトラインS（6）
- サテンS（6）
- サテン S（6）
- ランニングS（3）
- レゼーデージーS＋ストレートS（6）
- アウトラインS（6）で縁とり
- チェーンS（3）で埋める

58　図案集

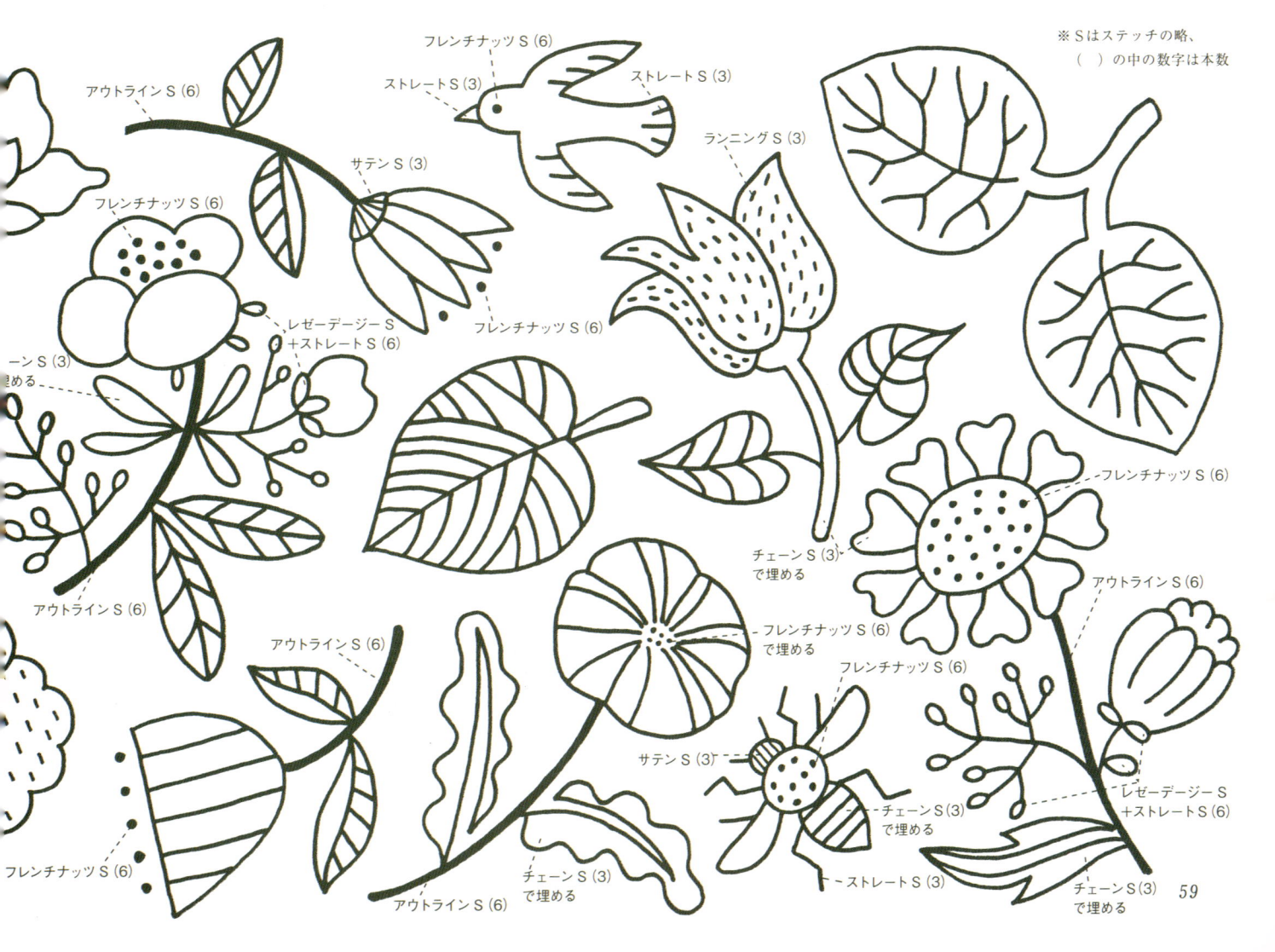

※Sはステッチの略、
（ ）の中の数字は本数

- アウトラインS（6）
- フレンチナッツS（6）
- ストレートS（3）
- フレンチナッツS（6）
- ストレートS（3）
- ランニングS（3）
- サテンS（3）
- フレンチナッツS（6）
- レゼーデージーS＋ストレートS（6）
- チェーンS（3）で埋める
- アウトラインS（6）
- フレンチナッツS（6）
- アウトラインS（6）
- チェーンS（3）で埋める
- フレンチナッツS（6）で埋める
- フレンチナッツS（6）
- アウトラインS（6）
- フレンチナッツS（6）
- サテンS（3）
- チェーンS（3）で埋める
- ストレートS（3）
- レゼーデージーS＋ストレートS（6）
- チェーンS（3）で埋める
- アウトラインS（6）
- フレンチナッツS（6）

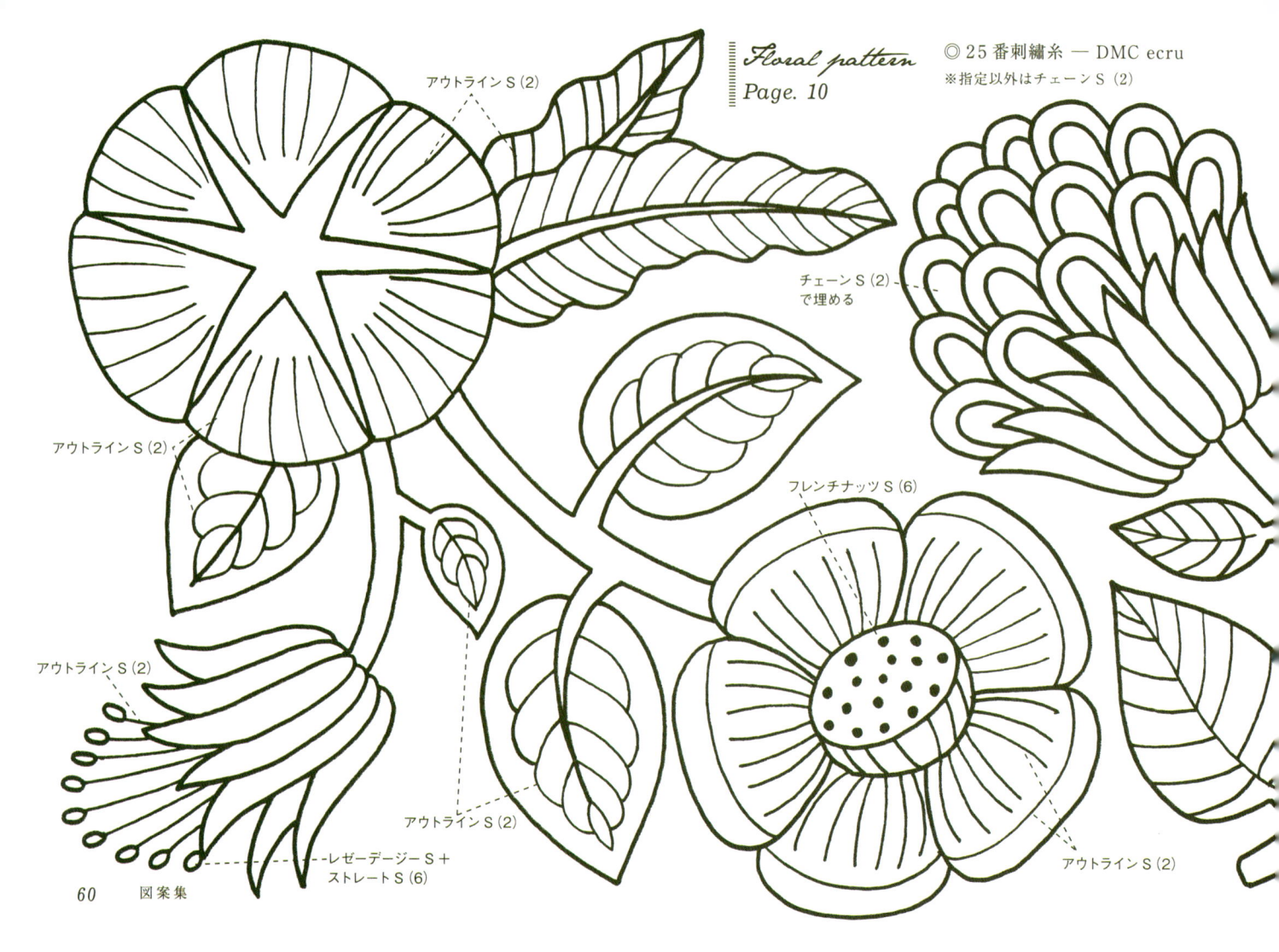

Floral pattern
Page. 10

◎ 25番刺繍糸 — DMC ecru
※指定以外はチェーンS（2）

アウトラインS（2）

チェーンS（2）
で埋める

アウトラインS（2）

フレンチナッツS（6）

アウトラインS（2）

アウトラインS（2）

アウトラインS（2）

レゼーデージーS＋
ストレートS（6）

アウトラインS（2）

レゼーデージー S ＋
ストレート S (6)

アウトライン S (2)

フレンチナッツ S (6)

アウトライン S (2)

アウトライン S (2)

アウトライン S (2)

※ S はステッチの略、
　( ) の中の数字は本数

ストレートS(2)

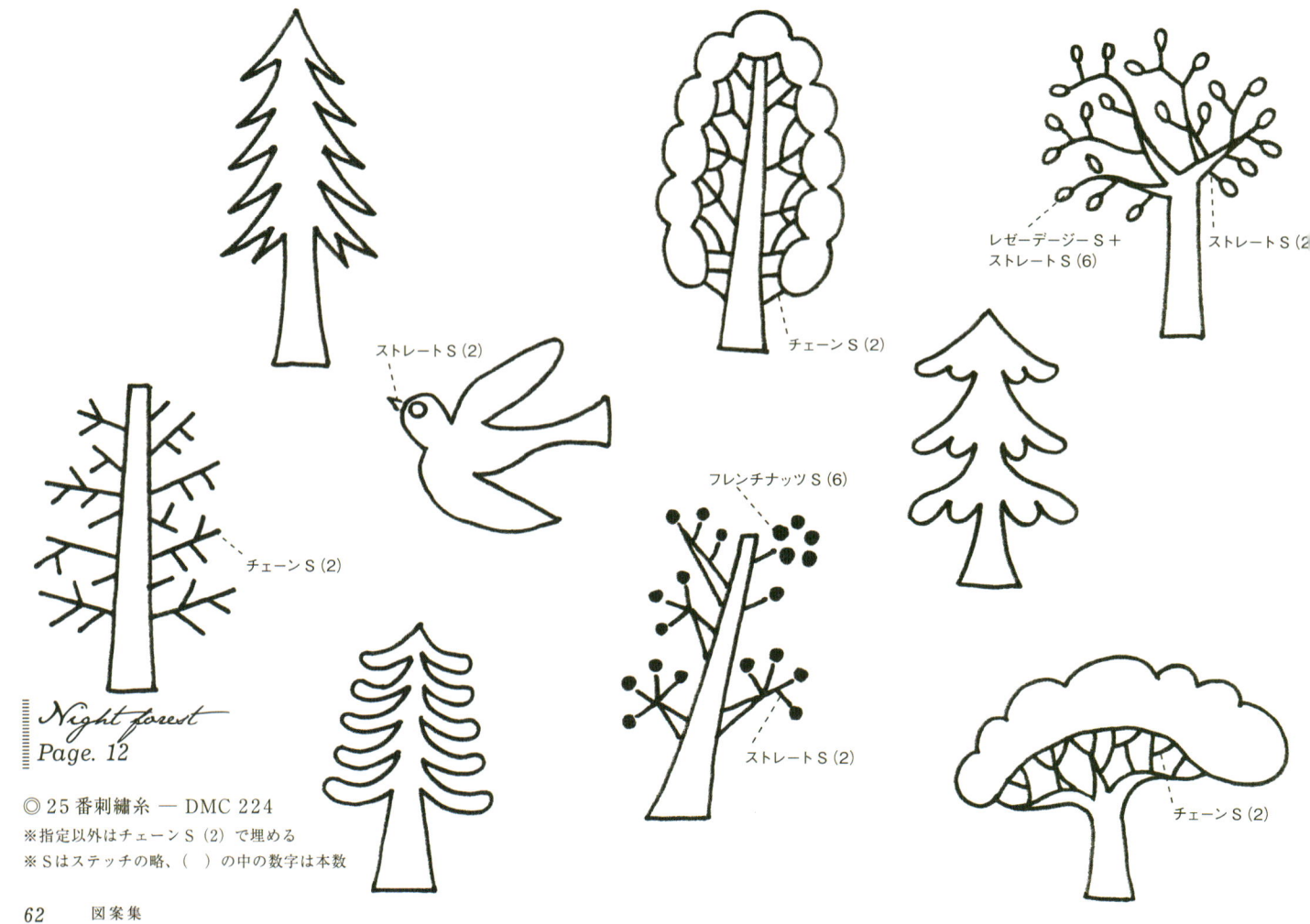

チェーンS(2)

レゼーデージーS＋
ストレートS(6)　　　ストレートS(2)

チェーンS(2)

フレンチナッツS(6)

ストレートS(2)

チェーンS(2)

Night forest
Page. 12

◎ 25番刺繍糸 ― DMC 224
※指定以外はチェーンS(2)で埋める
※Sはステッチの略、( )の中の数字は本数

62　図案集

Mimose
Page. 14

◎ 25番刺繡糸 ― DMC 3687
※指定以外はアウトラインS (3)
※Sはステッチの略、( ) の中の数字は本数

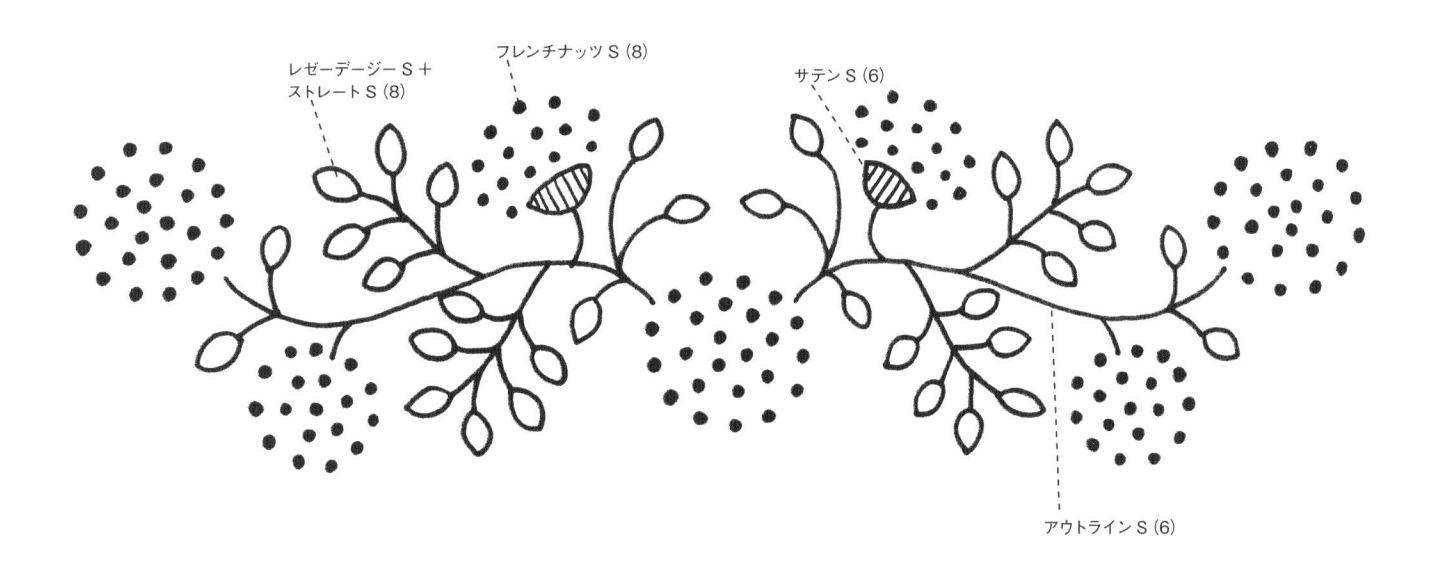

レゼーデージーS＋
ストレートS (8)

フレンチナッツS (8)

サテンS (6)

アウトラインS (6)

Soft flower
Page. 16

◎ 25番刺繡糸 — DMC 739
※指定以外はアウトラインS（3）
※Sはステッチの略、
　（ ）の中の数字は本数

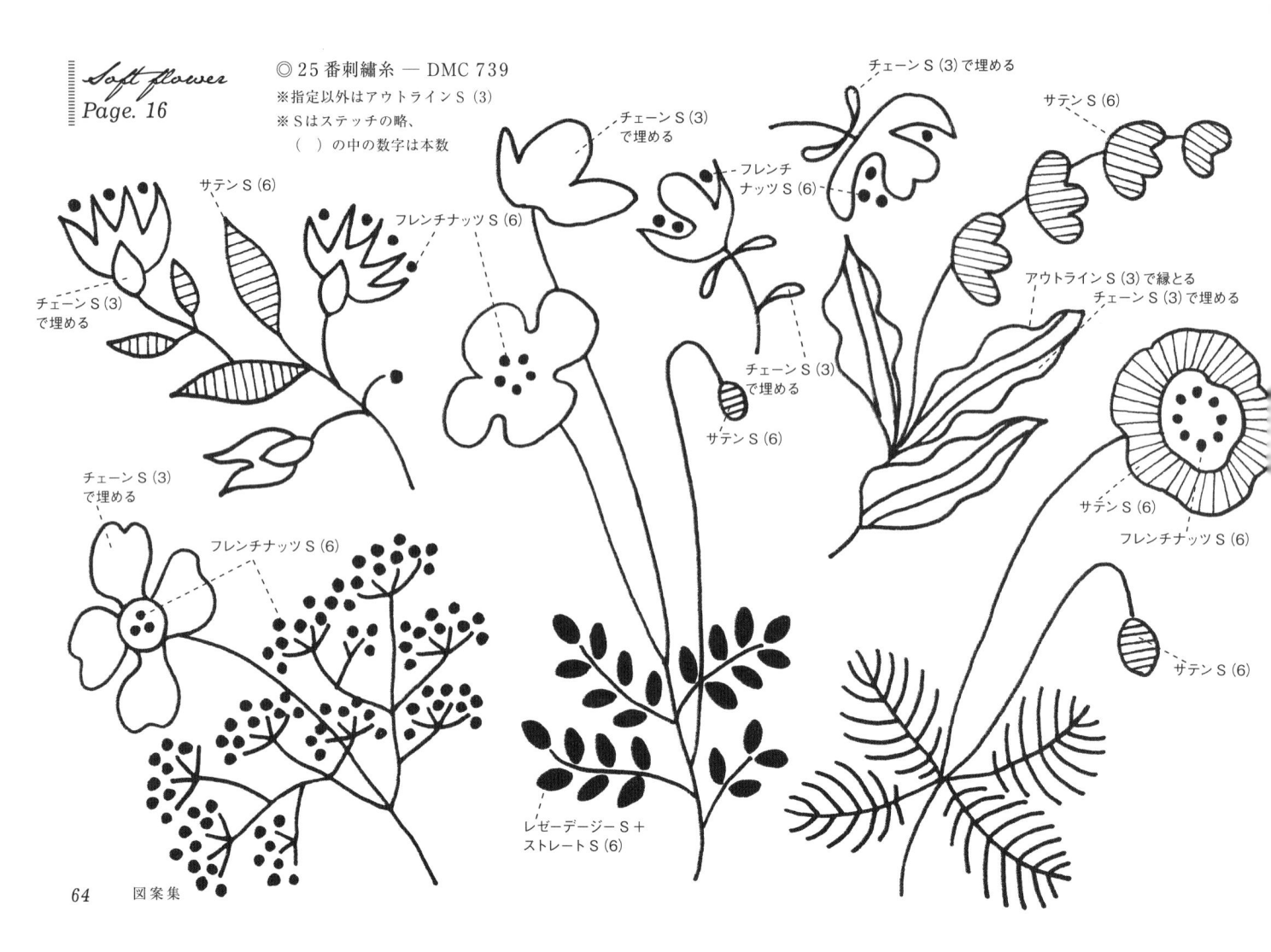

- チェーンS（3）で埋める
- サテンS（6）
- フレンチナッツS（6）
- チェーンS（3）で埋める
- フレンチナッツS（6）
- サテンS（6）
- チェーンS（3）で埋める
- サテンS（6）
- アウトラインS（3）で縁とる／チェーンS（3）で埋める
- サテンS（6）
- フレンチナッツS（6）
- サテンS（6）
- チェーンS（3）で埋める
- フレンチナッツS（6）
- レゼーデージーS＋ストレートS（6）

Red tree
Page. 18

◎ 25番刺繡糸 ― DMC 3777
※Sはステッチの略、( )の中の数字は本数

アウトラインS(2)

チェーンS(2)で埋める

Silhouette of flower
Page. 20

◎ 25番刺繡糸 ― DMC 758
※Sはステッチの略、( )の中の数字は本数

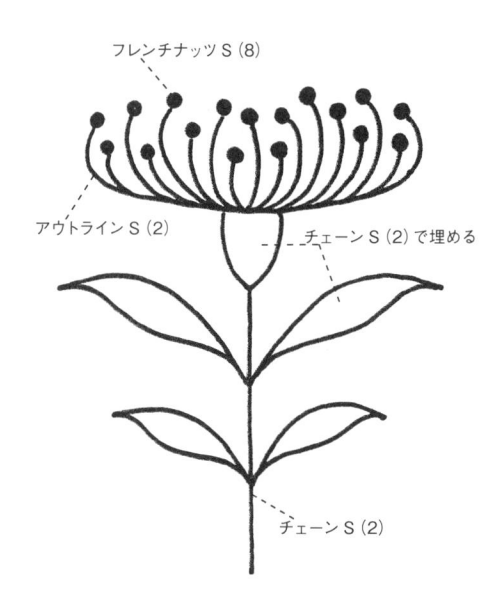

フレンチナッツS(8)

アウトラインS(2)

チェーンS(2)で埋める

チェーンS(2)

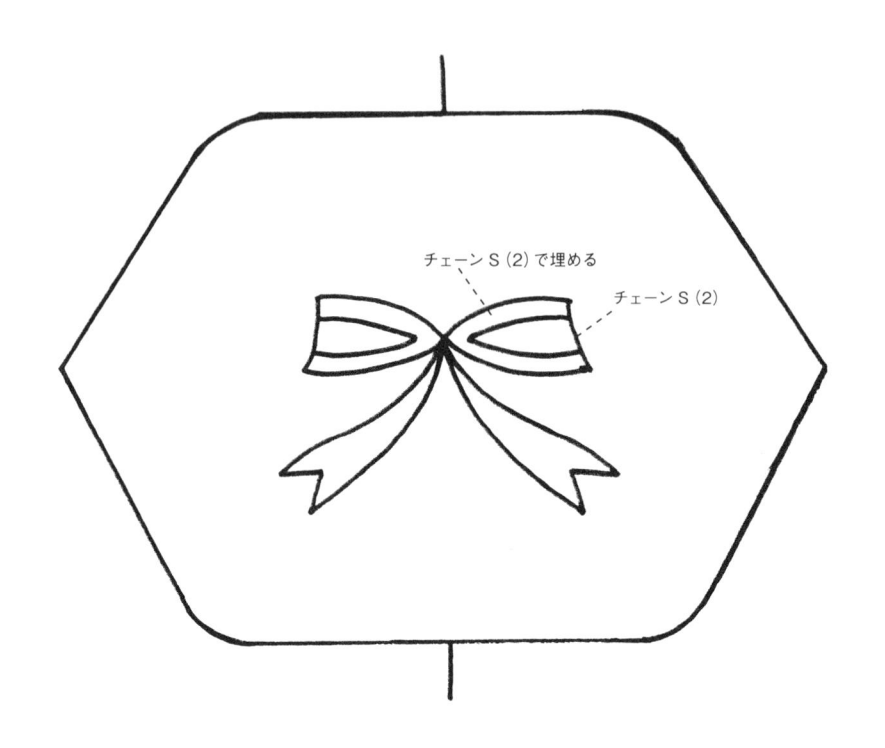

Coral
Page. 22

◎ 25番刺繍糸 ― DMC 347
※Sはステッチの略、（ ）の中の数字は本数

アウトラインS (3)

チェーンS (3) で埋める

アウトラインS (3)

チェーンS (3) で埋める

Ribbon
Page. 26

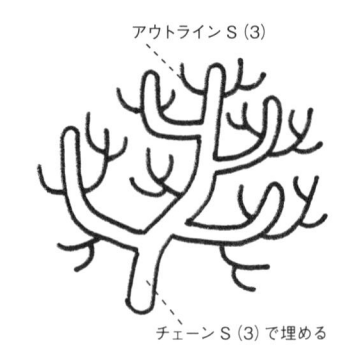

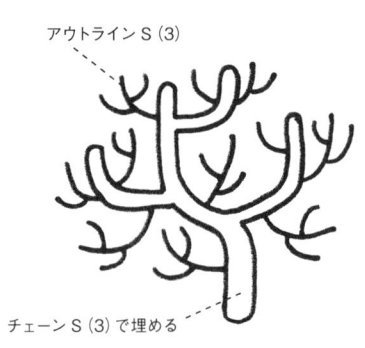

◎ 25番刺繍糸 ― DMC 739
※ミニがま口ポーチ（p.27）の型紙つき
※Sはステッチの略、（ ）の中の数字は本数

チェーンS (2) で埋める

チェーンS (2)

Floral pattern
Page. 24

◎ 25番刺繍糸 — DMC B5200
※指定以外は3本どり
※Sはステッチの略、( )の中の数字は本数

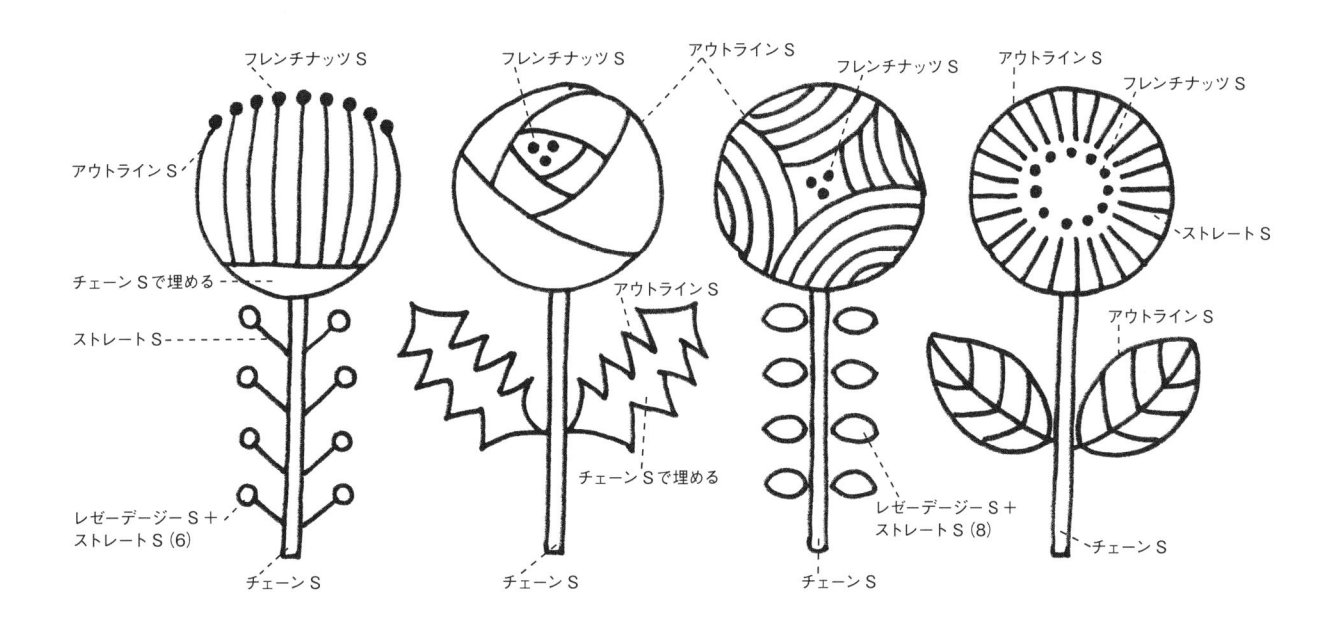

フレンチナッツS
フレンチナッツS
アウトラインS
フレンチナッツS
アウトラインS
フレンチナッツS
アウトラインS
チェーンSで埋める
ストレートS
アウトラインS
チェーンSで埋める
ストレートS
アウトラインS
レゼーデージーS＋ストレートS (6)
レゼーデージーS＋ストレートS (8)
チェーンS
チェーンS
チェーンS
チェーンS

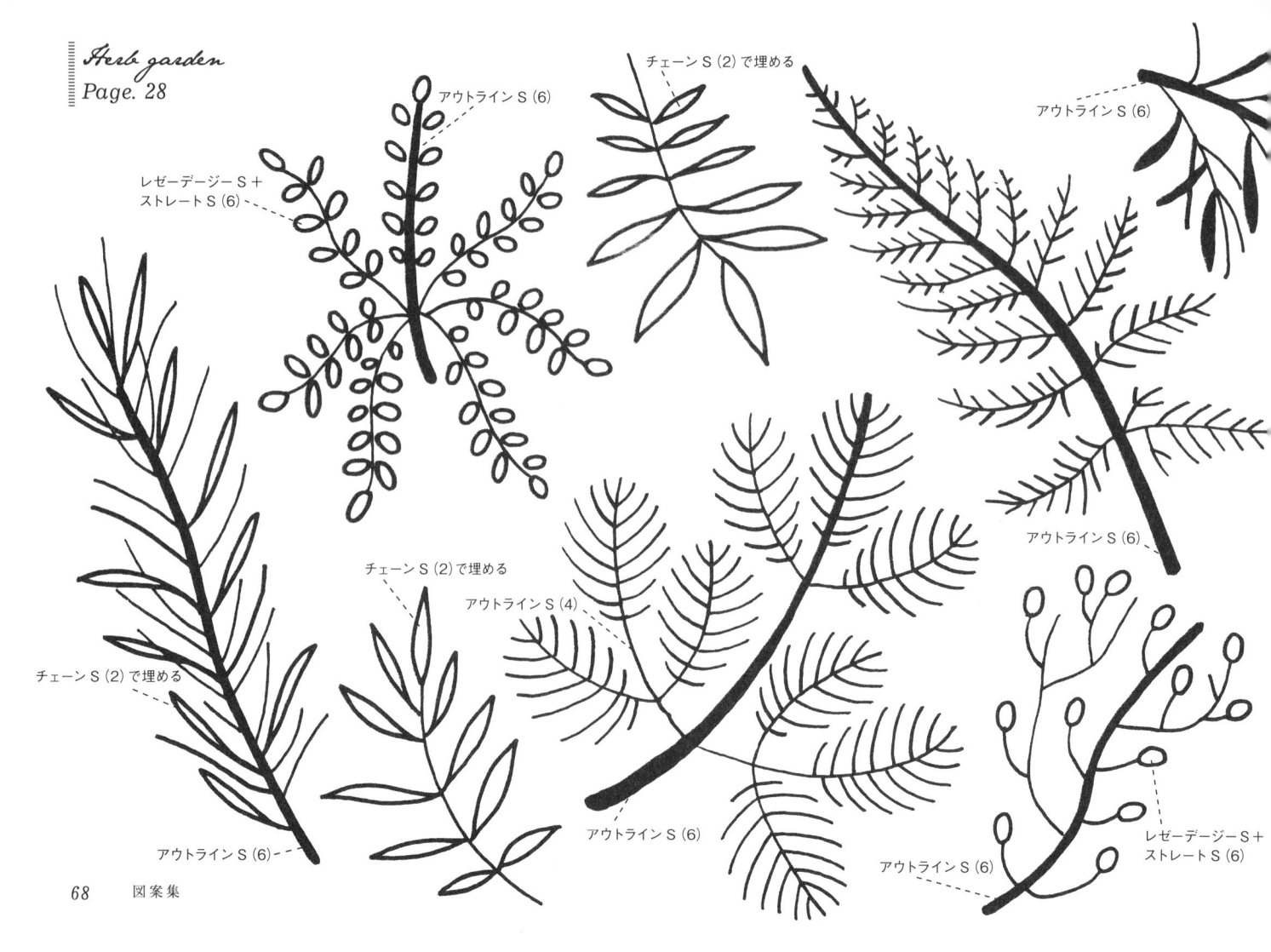

Herb garden
Page. 28

レゼーデージー S ＋
ストレート S (6)

アウトライン S (6)

チェーン S (2) で埋める

アウトライン S (6)

チェーン S (2) で埋める

チェーン S (2) で埋める

アウトライン S (4)

アウトライン S (6)

アウトライン S (6)

アウトライン S (6)

アウトライン S (6)

レゼーデージー S ＋
ストレート S (6)

68　図案集

- チェーンS(2)
- チェーンS(2)で埋める
- レゼーデージーS + ストレートS(6)
- アウトラインS(6)
- アウトラインS(6)
- アウトラインS(4)
- アウトラインS(6)
- フレンチナッツS(6)
- アウトラインS(4)
- チェーンS(2)で埋める
- アウトラインS(6)
- チェーンS(2)で埋める

◎ 25番刺繡糸 — DMC 645
※指定以外はアウトラインS(2)、
　0.5cm以下の短い線はストレートS(2)
※Sはステッチの略、( )の中の数字は本数

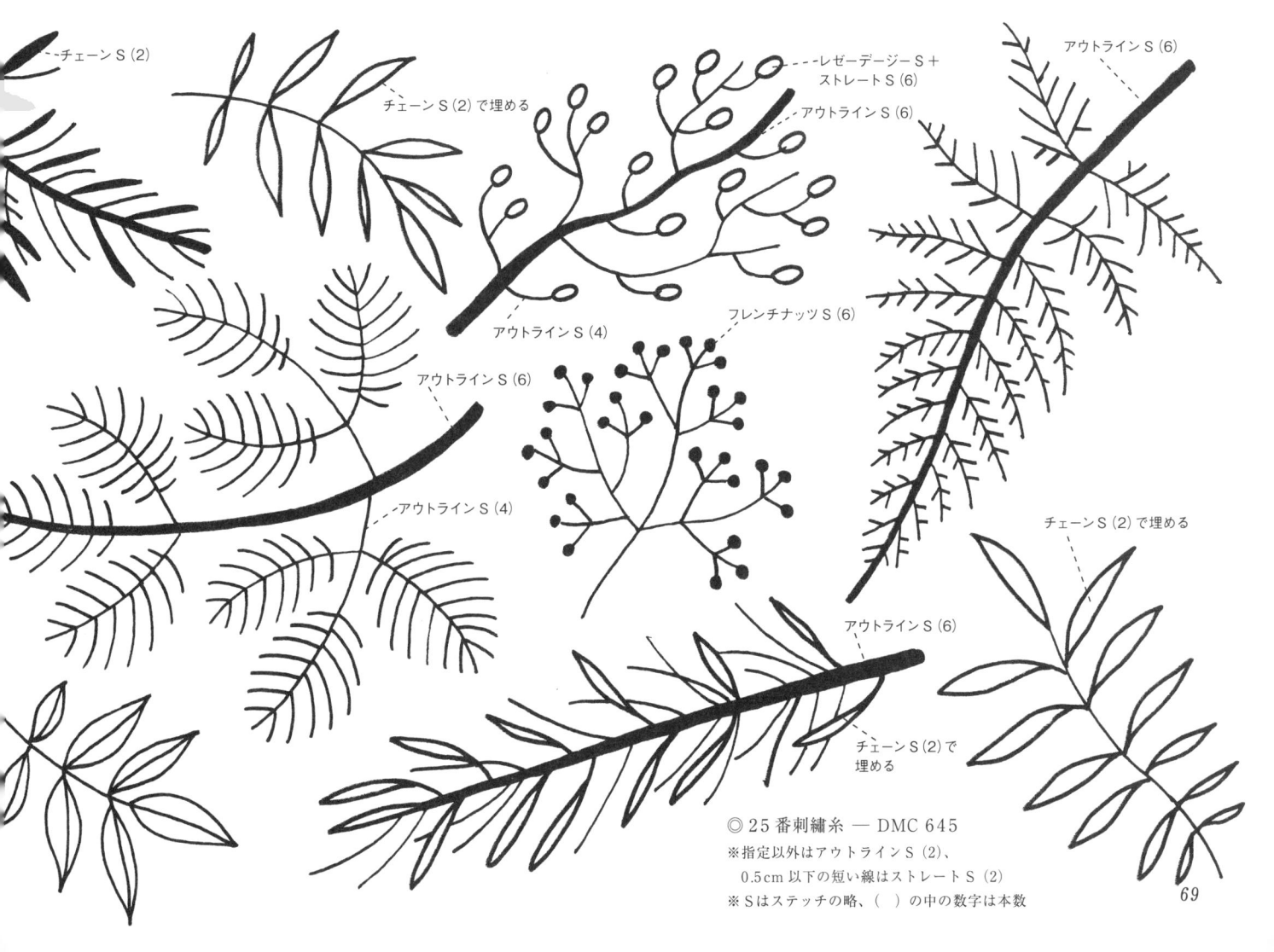

69

Blue tite
Page. 31

◎ 25番刺繍糸 ― DMC 3782（生成り）、
　　　　　　　DMC 311（ネービー）

※指定以外はチェーンS（4）
※Sはステッチの略、（　）の中の数字は本数

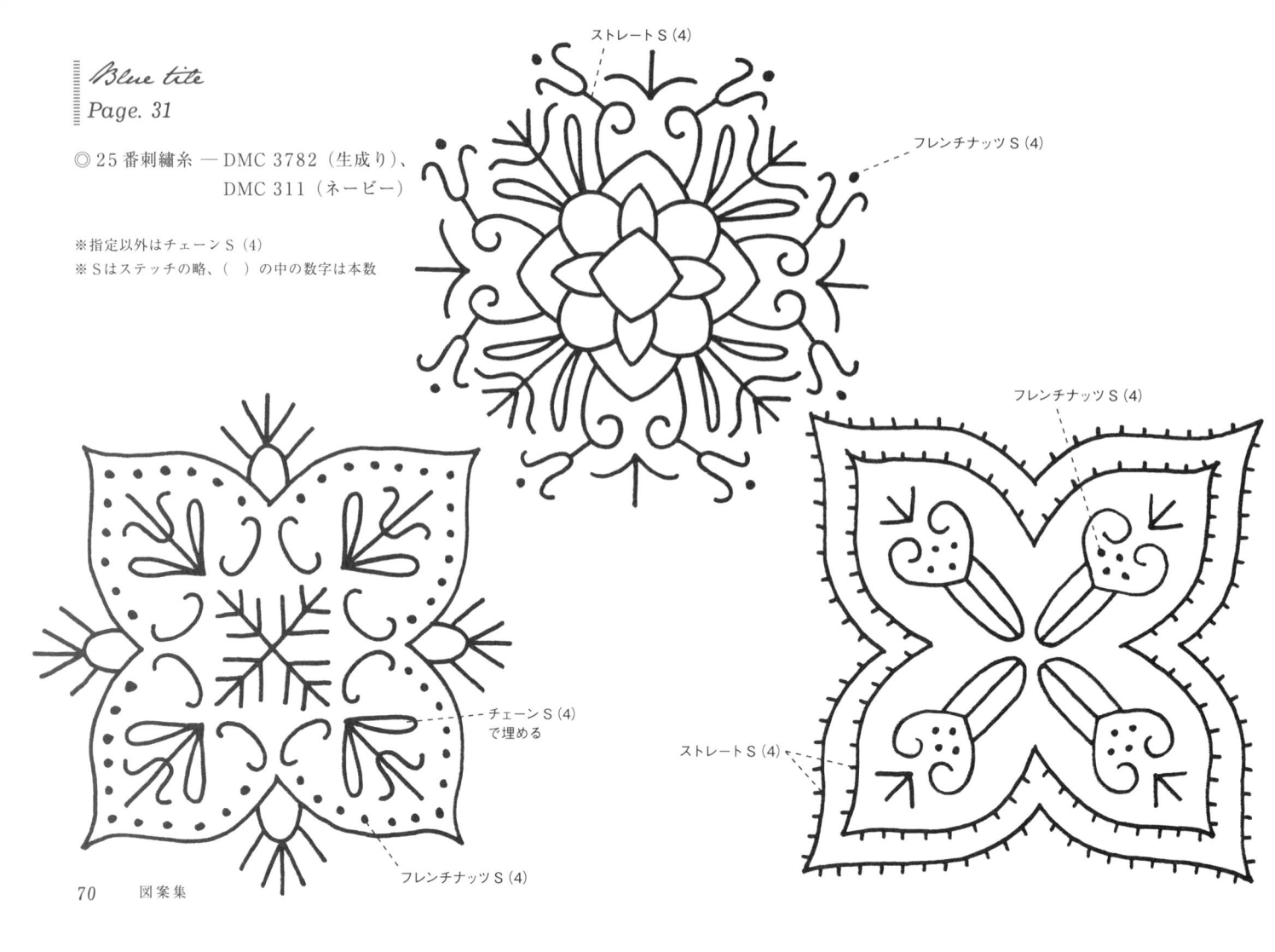

ストレートS（4）

フレンチナッツS（4)

フレンチナッツS（4）

チェーンS（4）
で埋める

フレンチナッツS（4）

ストレートS（4）

70　図案集

Birds and Tree
Page. 32

◎ 25番刺繍糸 — DMC ecru

※指定以外はチェーンS（2）、
　0.7cm以下の短い線はストレートS（2）

※Sはステッチの略、
　（　）の中の数字は本数

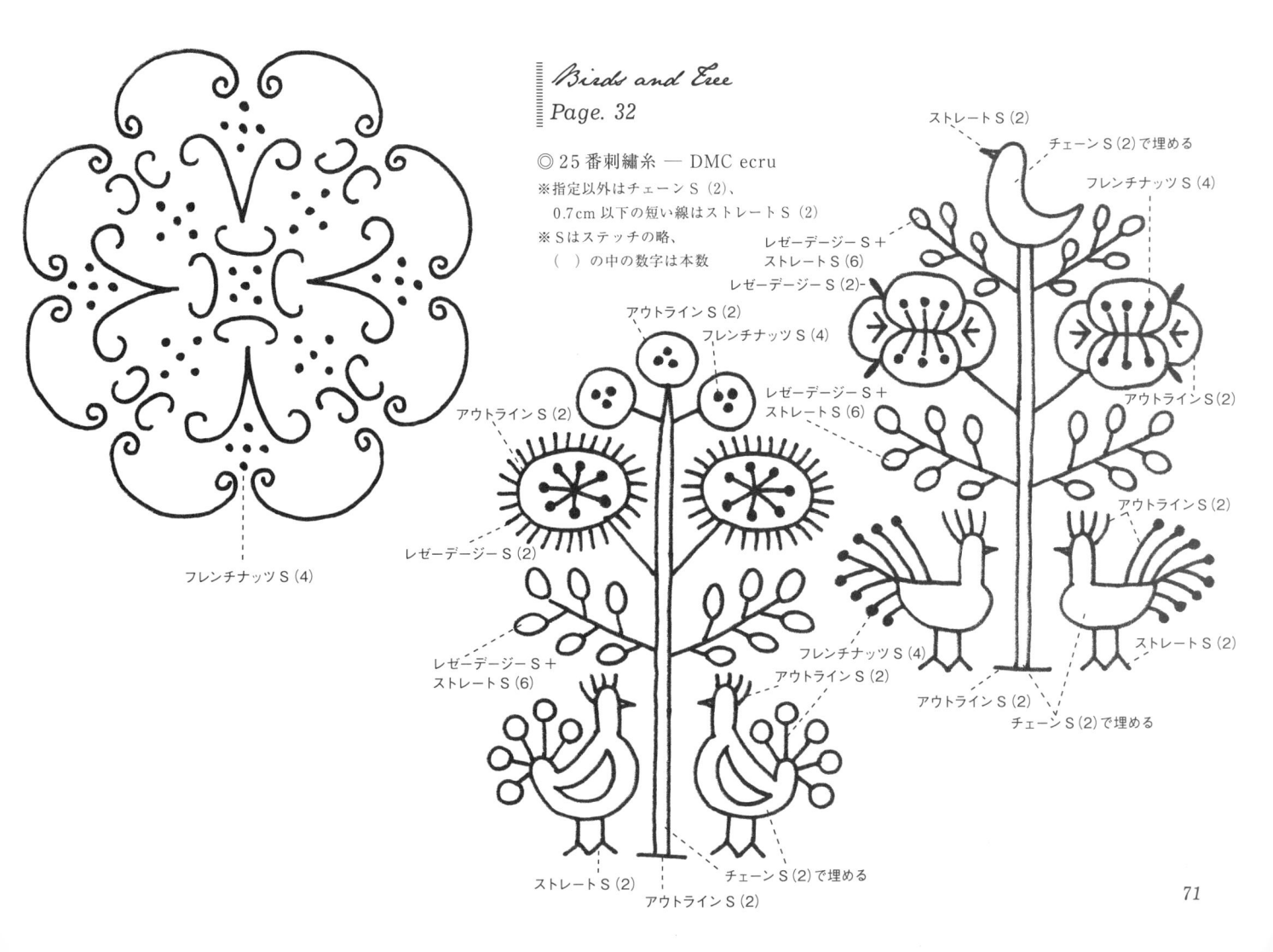

- ストレートS（2）
- チェーンS（2）で埋める
- フレンチナッツS（4）
- レゼーデージーS＋ストレートS（6）
- レゼーデージーS（2）
- アウトラインS（2）
- フレンチナッツS（4）
- レゼーデージーS＋ストレートS（6）
- アウトラインS（2）
- レゼーデージーS（2）
- フレンチナッツS（4）
- レゼーデージーS＋ストレートS（6）
- アウトラインS（2）
- アウトラインS（2）
- ストレートS（2）
- フレンチナッツS（4）
- アウトラインS（2）
- チェーンS（2）で埋める
- ストレートS（2）
- アウトラインS（2）
- チェーンS（2）で埋める

Snow crystal
Page. 34

◎ 25番刺繍糸 — DMC ecru
※指定以外はアウトラインS (2)
※Sはステッチの略、( ) の中の数字は本数

フレンチナッツS (6)
レゼーデージーS ＋
ストレートS (6)
ストレートS (2)
ストレートS (2)
フレンチナッツS (6)
チェーンS (2)

Margaret
Page. 40

◎ 25番刺繍糸 — DMC B5200
※Sはステッチの略、( ) の中の数字は本数

レゼーデージーS ＋
ストレートS (4)
フレンチナッツS (4)
で埋める
チェーンS (2)
ストレートS (2)
レゼーデージーS (2)
フレンチナッツS (4)

Dandelion
Page. 44

◎ 25番刺繍糸 — DMC 3820
※Sはステッチの略、( ) の中の数字は本数

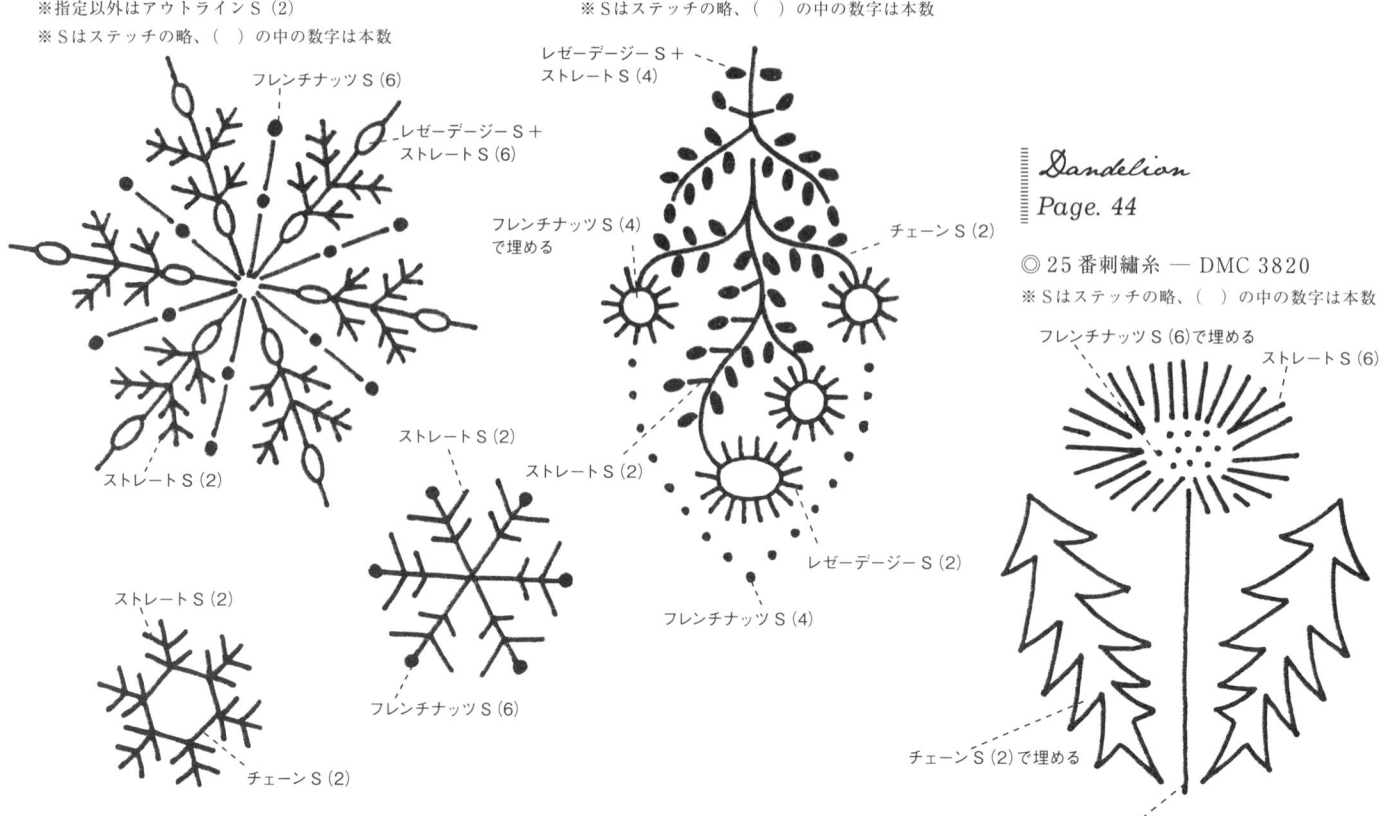

フレンチナッツS (6)で埋める
ストレートS (6)
チェーンS (2)で埋める
アウトラインS (6)

レゼーデージー S（4）

レゼーデージー S（4）

チェーン S（2）で埋める

レゼーデージー S ＋
ストレート S（4）

フレンチナッツ S（4）

レゼーデージー S ＋
ストレート S（4）

レゼーデージー S（4）

フレンチナッツ S（4）

レゼー
デージー S（4）

フレンチナッツ S（4）

レゼーデージー S ＋
ストレート S（4）

チェーン S（2）で埋める

レゼーデージー S（4）

Paisley
Page. 36

◎ 25番刺繍糸 — DMC ecru
※指定以外はチェーン S（2）　※Sはステッチの略、（ ）の中の数字は本数

73

Small flower
Page. 38

◎ 25番刺繍糸 ─ 　A：DMC 996、B：DMC 3687
　　　　　　　　C：DMC 563、D：DMC 224

※Sはステッチの略、（ ）の中の数字は本数

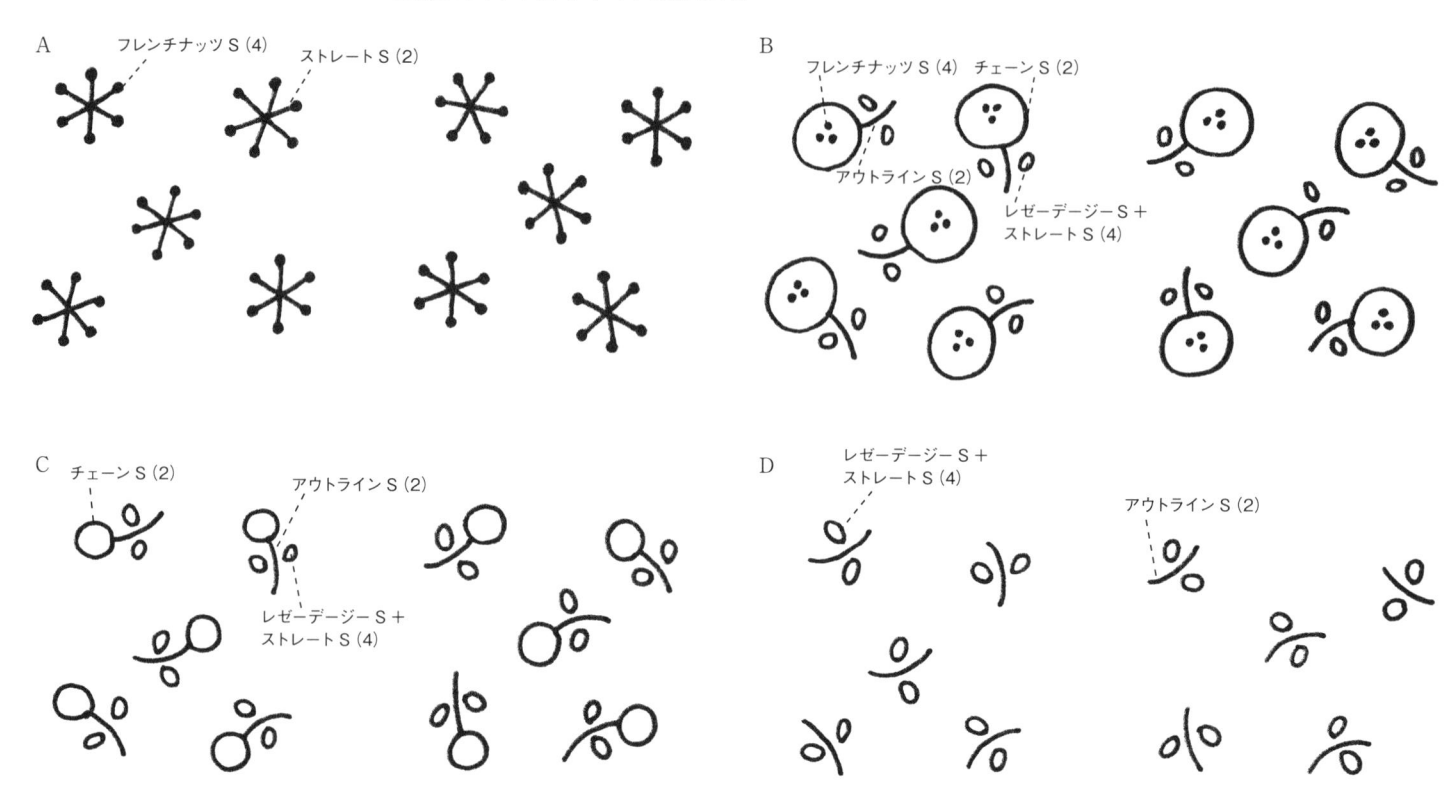

A　フレンチナッツS（4）　ストレートS（2）

B　フレンチナッツS（4）　チェーンS（2）
　　アウトラインS（2）
　　レゼーデージーS＋ストレートS（4）

C　チェーンS（2）　アウトラインS（2）
　　レゼーデージーS＋ストレートS（4）

D　レゼーデージーS＋ストレートS（4）　アウトラインS（2）

74　図案集

Whale
Page. 42

◎ 25番刺繍糸 ─ DMC 312
※ Sはステッチの略、( )の中の数字は本数

チェーンS(2)で埋める

アウトラインS(2)

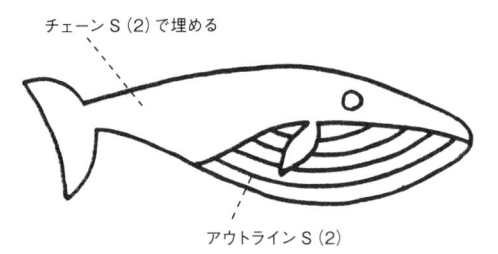

Feather
Page. 46

◎ 25番刺繍糸 ─ DMC 3047
※ Sはステッチの略、( )の中の数字は本数

チェーンS(2)で埋める

アウトラインS(6)

Floral pattern
クラッチバッグ

Page. 9

【 仕上りサイズ 】
27×18cm

【 25番刺繍糸 】
DMC ecru ― 4束

【 材料 】
表布：リネン（グレー）
　　― 45×35cm
裏布：キルト生地（生成り）
　　― 45×35cm
長さ27cm バネ口金 ― 1本

【 道具 】
かなづち

【 作り方 】

1. 表布の表に、下図の位置に図案(p.60)を写して刺繍をしたら、4辺に縫い代1.5cmを足して裁つ。

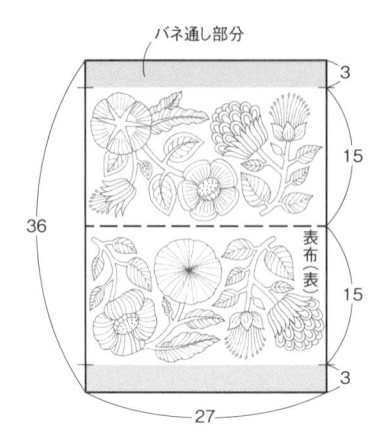

   バネ通し部分
   3 / 15 / 15 / 3
   36
   27
   表布（表）

2. 1の表布を中表に二つ折りにし、バネ通し部分を残して両脇を縫う。裏布も同様に裁ってから両脇を縫う。

3. 2の裏袋と表袋を中表に合わせ、返し口10cmを残して袋口を縫う。

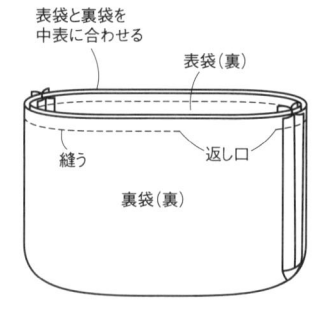

   表袋と裏袋を中表に合わせる
   表袋（裏）
   縫う
   返し口
   裏袋（裏）

4. 返し口から表に返し、バネ通し部分の縫い代を内側に折り込み、形を整える。

5. 上端から0.3cmと3cmの位置にそれぞれぐるりとミシンステッチをかける。

6. バネ口金を袋口に通す。口金の片側のピンを外し、布が引っかからないように袋口に差し込む。すべて通ったらピンを部品に差し込み、かなづちで軽くたたきながらはめる。

Night forest ブックカバー

Page. 13

【仕上りサイズ】
16×30cm（文庫本サイズ）

【25番刺繡糸】
DMC 939 — 2束

【材料】
表布：リネン（薄ピンク）— 20×40cm
裏布：リネン（ネービー）— 20×40cm
2cm幅リネンテープ — 19cm

【作り方】

1 表布の表に、下図の位置に図案（p.62）を写して刺繡をしたら、4辺に縫い代1.5cmを足して裁つ。

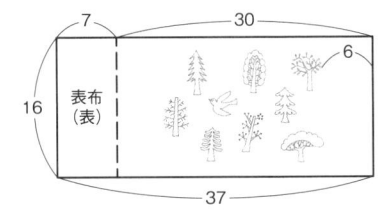

2 裏布も表布と同様に縫い代を足して裁ち、リネンテープを上下にはさみ込みながら、表布と裏布を中表に合わせ、返し口を5cm残して縫う。

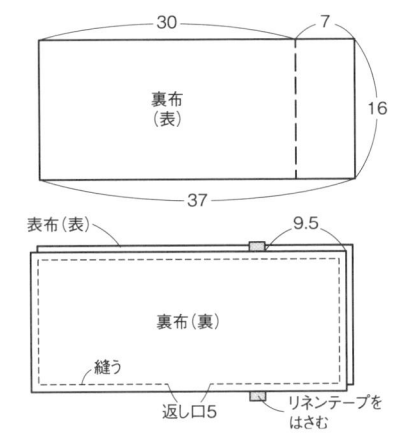

3 縫い代を0.5cm残して裁つ。

4 3を返し口から表に返し、形を整えたら、返し口をまつり縫いでとじる。

5 本の表紙が入る側を7cm折り、上下の端0.1～0.2cmの位置にミシンステッチをかける。

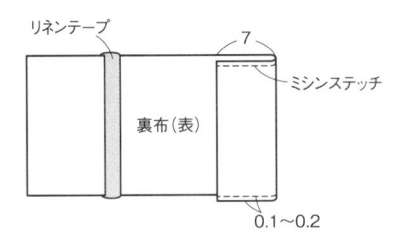

Mimosa
ハットタイ

Page. 15

【 仕上りサイズ 】

7×110cm

【 25番刺繡糸 】

DMC ecru — 4束

【 材料 】

表布：リネン（ネービー）— 20×120cm

【 作り方 】

1 表布の表に、下図の位置に図案（p.63）を写して刺繡をしたら、4辺に縫い代1.5cmを足して裁つ。

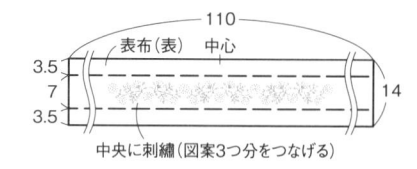

```
         110
      表布（表）  中心
3.5 ┌─────────────┐
 7  │             │ 14
3.5 └─────────────┘
   中央に刺繡（図案3つ分をつなげる）
```

2 1を縦半分に、中表に二つ折りにし、返し口約5cmを残して長辺を縫う。

3 2の縫い目が中央になるようアイロンを当てたら、左右の端を型紙（p.92）にそって縫い、端の縫い代を0.5cm残して裁つ。さらにカーブにそって切込みを入れると、カーブが美しく仕上がる。

4 表に返して形を整え、返し口をまつり縫いでとじる。

Soft flower
つけ衿

Page. 17

【 仕上りサイズ 】

17×32cm（首回り約38cm）

【 25番刺繡糸 】

DMC 932 — 2束

【 材料 】

表布：リネン（白）— 20×35cm
裏布：リネン（生成り）— 20×35cm
ホック — 1組み

【 作り方 】

1 表布の表に図案、裏に型紙（p.93）を写して刺繡をしたら、縫い代1cmを足して裁つ。

2 裏布も表布と同様に裁ち、1の表布と中表に合わせる。返し口10cmを残して縫う。

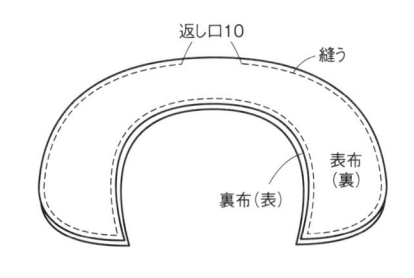

3 縫い代を0.5cm残して裁つ。さらにカーブにそって縫い代に切込みを入れると、カーブが美しく仕上がる。

4 返し口から表に返し、返し口をまつり縫いでとじる。

5 裏布にホックを縫いつける。

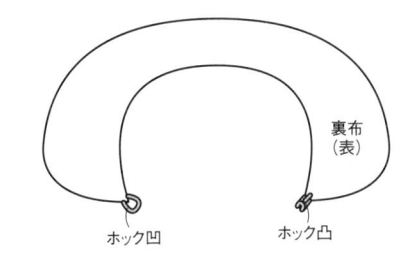

Red tree
クッション

Page. 19

【 仕上りサイズ 】
32×32cm

【 25番刺繍糸 】
DMC 3777 ― 3束

【 材料 】(1個分)
表布:リネン(生成り) ― 35×70cm
35×35cmのインナークッション ― 1個

【 作り方 】

1 表布の表に、下図の位置に図案(p.65)を写して刺繍をしたら、4辺に縫い代1.5cmを足して裁つ。

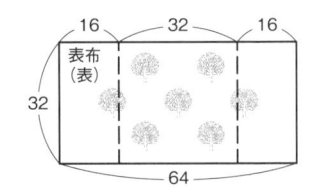

2 中表に二つ折りにし、返し口15cmを残して縫い合わせる。

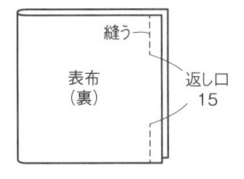

3 2の縫い目が中央になるよう折り目をつけ、上下の端それぞれを縫い合わせる。縫い代はジグザグミシンで始末する。

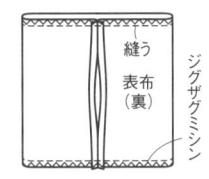

4 返し口から表に返し、インナークッションを詰めたら、返し口をまつり縫いでとじる。

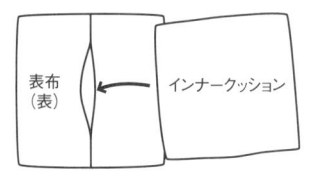

Silhouette of flower
ガーデンエプロン

Page. 21

【 仕上りサイズ 】

54×56cm

【 25番刺繍糸 】

DMC 739 — 2束

【 材料 】

表布：リネン（ピンク）— 75×60cm
ひも：リネン（ピンク）— 50×4cm　2本（肩用）
　　　　　　　　　　　— 90×4cm　2本（腰用）

【 作り方 】

1　ひも用の布を1cm幅に四つ折りにしてミシンステッチをかける。同様にひもを4本作る。

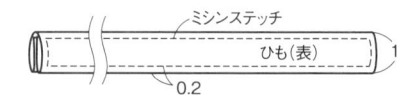

2　表布は下図の寸法にそれぞれ縫い代1.5cmを足して裁つ。縫い代1.5cmを三つ折りにして、周囲にミシンステッチをかける。その際、裾のみ表側に三つ折りにする。

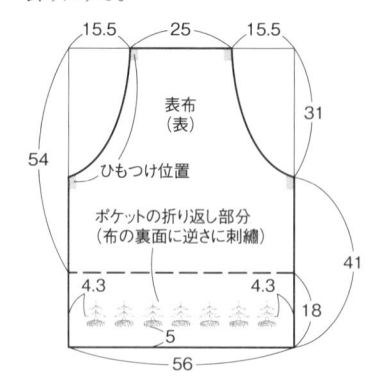

3　裏面ポケット折り返し部分に、逆さに図案（p.65）を写して刺繍をする。

4　刺繍した部分が表側になるよう、18cm折り返して、両端に0.5cmのミシンステッチをかける。

5　4のポケット部分を好みの幅でミシンステッチで仕切ったら、上図のひもつけ位置4か所に、1のひもを縫いつける。

Coral
がま口ポーチ

Page. 23

【 仕上りサイズ 】

12×18cm

【 25番刺繍糸 】

DMC 347 — 3束

【 材料 】

表布：リネン（生成り）— 30×25cm
裏布：コットン（ベージュ）
　— 30×25cm
幅13.2cmがま口口金（6.3×13.2cm）
　— 1個
紙ひも：適量

【 道具 】

木工用ボンド
目打ちまたはマイナスドライバー
足どめやっとこ

【 作り方 】

*がま口雑貨の作り方はp.56を参照

1 表布の表に図案、裏に型紙（p.92）を写して刺繡をしたら、縫い代1cmを足して裁つ。

2 表布を中表に二つ折りにし、両脇とまちをミシンで縫い合わせる。裏布も同様に裁ち、両脇とまちを縫い合わせる。

3 2の表袋と裏袋を中表に合わせ、返し口を5cm残して袋口を縫う。

4 3を表に返して形を整え、返し口をとじながら、袋口の端から0.2cmの位置にミシンステッチをかける。

5 袋口にがま口金をとりつける。

Floral pattern
ヘアバンド

Page. 25

【 仕上りサイズ 】

12×26.5cm

【 25番刺繡糸 】

DMC 3820 — 2束

【 材料 】

表布：リネン（グレー）
　　　— 30×50cm
バンド部分：リネン（グレー）
　　　— 10×30cm
2cm幅ゴムテープ— 10cm
＊大きめにしたい場合は、ゴムテープを長くして調節する。

【 作り方 】

1 表布の表に、下図の位置に図案（p.67）を写して刺繡をしたら、4辺に縫い代1cmを足して裁つ。

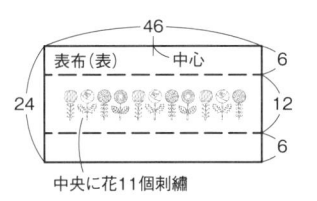

```
          46
表布(表)  中心
                    6
24  🌸🌸🌸🌸🌸🌸  12
                    6
中央に花11個刺繡
```

2 バンド部分の4辺に縫い代1cmを足して裁つ。表布とバンド部分はそれぞれ中表にして筒状に縫い、表に返す。

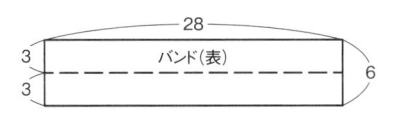

```
        28
3  バンド(表)
3              6
```

3 表布は刺繡が中央にくるよう形を整え、両端を2.5cm幅に折りたたみ、まち針でとめる。

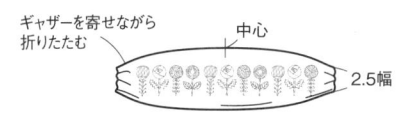

ギャザーを寄せながら折りたたむ　中心　2.5幅

4 バンド部分は両端の縫い代を内側に折り込み、2cm幅のゴムテープを通す。ギャザーを寄せてゴムテープの端が1cm出るようにまち針でとめる。

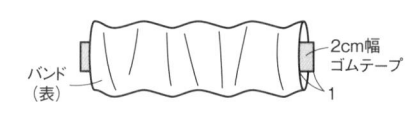

バンド（表）　2cm幅ゴムテープ　1

5 3の左右の縫い代部分と4のゴムテープの端1cmの部分を向かい合うようにして重ね、縫いとめる。

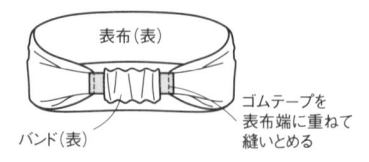

表布（表）　バンド（表）　ゴムテープを表布端に重ねて縫いとめる

6 バンド部分を、5の縫い目を隠すようにかぶせ、左右それぞれまつり縫いでとじる。

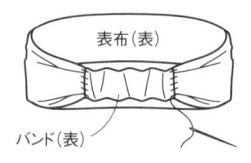

表布（表）　バンド（表）

Ribbon
ミニがま口ポーチ

Page. 27

【 仕上りサイズ 】

7.5×8cm

【 25番刺繍糸 】

DMC ecru ― 1束（濃いピンクのポーチ）
DMC 3687 ― 1束（それ以外のポーチ）

【 材料 】(1個分)

表布：リネン（白、濃いピンク、生成り、ピンクのうち好みの色）― 10×15cm　2枚
裏布：リネン(好みの色)― 10×15cm　2枚
幅6cmがま口口金（4.5×6cm）― 1個
紙ひも：適量

【 道具 】

木工用ボンド
目打ちまたはマイナスドライバー
足どめやっとこ

【 作り方 】

＊がま口雑貨の作り方はp.56を参照

1 表布2枚の表に図案、裏に型紙（p.66）を写して刺繍をしたら、縫い代1cmを足して裁つ。

2 1の表布2枚を中表に合わせ、袋口以外の両脇と底を縫い合わせる。裏布2枚も同様に裁って縫い合わせる。

3 2の表袋と裏袋を中表に合わせ、返し口を3〜4cm残して袋口を縫う。

4 縫い代を0.5cm残して裁つ。さらにカーブにそって縫い代に切込みを入れると、カーブが美しく仕上がる。

5 4を表に返して形を整え、返し口をとじながら、袋口の端から0.2cmの位置にミシンステッチをかける。

6 袋口にがま口口金をとりつける。

Herb garden
クロス

Page. 30

【仕上りサイズ】

100×100cm

【25番刺繍糸】

A（生成り）：DMC 3362 — 9束

B（ブラック）：DMC ecru — 1束

【材料】

100cm四方の市販のリネンクロス
　（A 生成り／B ブラック）— 1枚

【作り方】

A クロス全体に図案（p.68）をバランスよく写して刺繍をする。

B クロスの四隅に1図案（p.68）ずつ写して刺繍をする。

Blue tit
ピンクッション

Page. 31

【仕上りサイズ】

8×8cm

【25番刺繍糸】

A（ネービー）：DMC 3782 — 1束

B（生成り）：DMC 311 — 1束

【材料】（1個分）

表布：リネン（A ネービー／B 生成り）
　— 10×20cm

手芸用わた — 適量

【作り方】

1 表布の表に、下図の位置に図案（p.70、71）を写して刺繍をしたら、縫い代1cmを足して裁つ。

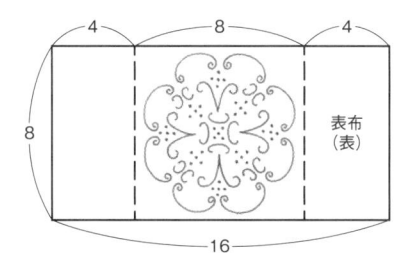

2 中表に二つ折りにし、返し口5cmを残して縫い合わせる。

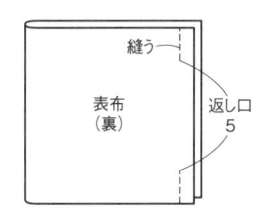

3 2の縫い目が中央になるよう折り目をつけ、上下の端それぞれを縫い合わせる。

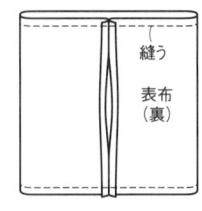

縫う
表布（裏）

4 返し口から表に返し、手芸わたを適量詰めたら、返し口をまつり縫いでとじる。

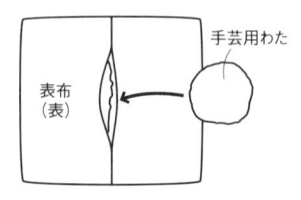

表布（表）
手芸用わた

Birds and Tree
ギフトカード

Page. 33

【 仕上りサイズ 】
15×10.5cm

【 25番刺繡糸 】
A（グリーン）：DMC ecru ―1束
B（生成り）：DMC 500 ―1束

【 材料 】(1個分)
表布：リネン（Aグリーン／B生成り）
　　　―12×8.5cm
台紙：厚紙（白）―15×21cm
　　　　　　　　―15×10.5cm

【 道具 】
カッター
木工用ボンド

【 作り方 】

1 表布の表に図案（p.71）を写して刺繡をする。

2 大きいほうの台紙を図のように中央で折り、右半分の中央にカッターで窓を切り抜く。

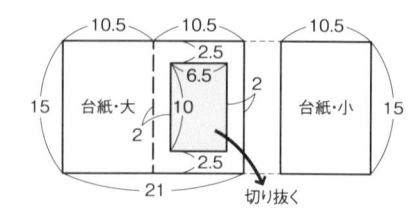

台紙・大　　台紙・小
10.5　10.5　10.5
2.5
6.5　2
15　　10　　15
2
2.5
21
切り抜く

3 2の窓の中央に刺繡がくるようにして表布を後ろから重ね、4辺に木工用ボンドをつけた小さいほうの厚紙ではさむ。

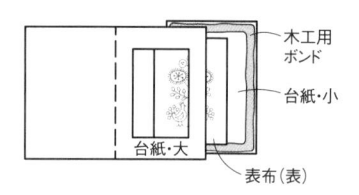

木工用ボンド
台紙・小
台紙・大
表布（表）

4 重しをして数時間乾燥させる。

Snow crystal
湯たんぽケース

Page. 35

【 仕上りサイズ 】
25×19cm

【 25番刺繍糸 】
DMC ecru ― 2束（片面分）

【 材料 】
表布：リネン（グレー）― 30×25cm　2枚
裏布：キルト生地（生成り）
　　― 25×25cm　2枚
0.3cm幅ベルベットリボン（ピンク）
　　― 60cm　2本

【 作り方 】

1　表布2枚の表に図案、裏に型紙（p.94）を写して刺繍をしたら、4辺に縫い代1cmを足して裁つ。

2　1の表布を中表に合わせ、ひも通し口を残して袋状に縫う。裏布2枚も裁ち、縫い合わせる。

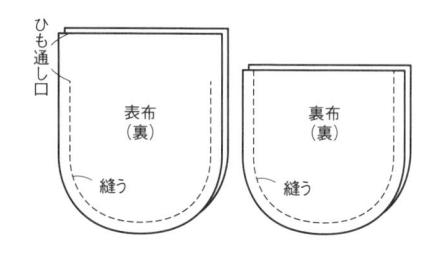

3　縫い代0.5cmを残して裁つ。さらにカーブにそって縫い代に切込みを入れると、カーブが美しく仕上がる。

4　3の表袋のひも通し口の左右の縫い代を裏側に折り込み、コの字形にミシンステッチをかける。

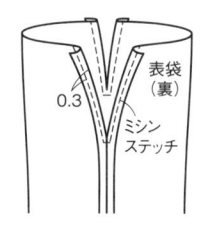

5　裏袋の袋口の縫い代を裏側に折り込んだら、裏袋に表袋を外表に入れる。

6　表袋のひも通し部分を折り、裏袋と表袋の袋口を整えたらミシンステッチをかける。

7　6を表に返し、ひも通し部分に左右からベルベットリボンを通す。

Paisley ポーチ

Page. 37

【 仕上りサイズ 】

21×14cm

【 25番刺繍糸 】

A（生成り）：DMC 3777 — 2束
B（赤）：DMC ecru — 2束

【 材料 】(1個分)

表布：リネン（A 生成り／B 赤）— 45×20cm
裏布：リネン（好みの色）— 45×20cm
0.3cm幅ひも（刺繍糸と同色）
　— 50cm　2本

【 作り方 】

1 表布の表に、下図の位置に図案（p.73）を写して刺繍をしたら、4辺に縫い代1cmを足して裁つ。

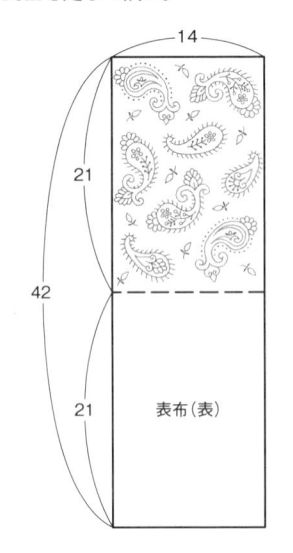

2 1の表布を中表に二つ折りにし、両脇を縫い合わせる。裏布も同様に裁ち、返し口を5cmあけて縫い合わせる。

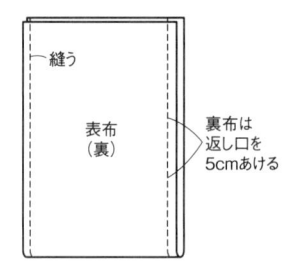

3 表袋と裏袋を中表に重ね、袋口の中央にひもをはさみ込んでから袋口を縫う。

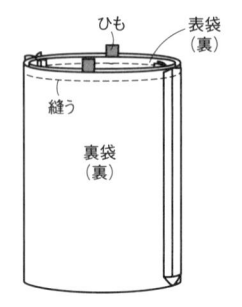

4 3を表に返して形を整え、返し口をまつり縫いでとじる。

Small flower
ブローチ

Page. 38

【 仕上りサイズ 】

4×7cm

【 25番刺繍糸 】

A（黄色）：DMC 996 ― 1束

B（グリーン）：DMC 3687 ― 1束

C（ピンク）：DMC 563 ― 1束

D（青）：DMC 224 ― 1束

【 材料 】（1個分）

表布：リネン（A 黄色／B グリーン／
　　　C ピンク／D 青）― 10×20cm

帯：リネン（表布と同色）― 10×3cm

手芸用わた ― 適量

手芸用ブローチピン ― 1個

【 作り方 】

1 表布の表に、下図の位置に図案（p.74）を写して刺繍をしたら、4辺に縫い代1cmを足して裁つ。

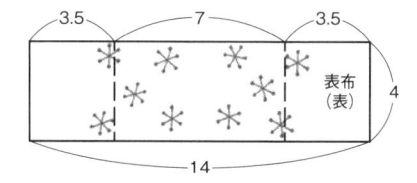

2 帯用の布を三つ折りにし、1cm幅の帯を作る。

3 1の両端の縫い代を裏側に折り、その両端を中表になるよう中央で突き合わせて折ったら、まち針でとめる。

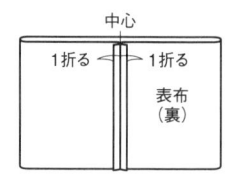

4 上下の端をそれぞれ縫う。

5 中央口から表に返して形を整え、手芸用わたを両端に詰める。中央口をまつり縫いでとじ、中央にギャザーを寄せて、糸でぐるぐると巻く。

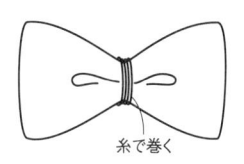

6 5の中央の糸の上に2の帯を2周巻きつけ、裏側で縫いとめ、ブローチピンをつける。

Birds
オーナメント

Page. 39

【 仕上りサイズ 】
8×14cm

【 25番刺繍糸 】
DMC B5200 ー1束

【 材料 】(1点分)
表布：着古したセーター
　　ー10×20cm　2枚
手芸用わたー適量
ビーズ（白）ー2個

【作り方】

1 表布の表に図案(p.74)、裏に型紙(p.93)を写して刺繍をしたら、縫い代1cmを足して裁つ。裁った表布2枚の目の位置にビーズを縫いつける。

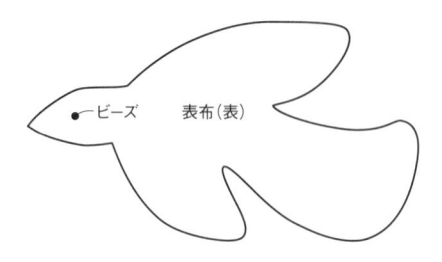

●ービーズ　　表布(表)

刺繍の図案は、Small flower (p.74)の図案を自由にちらす。直線の部分は、アウトラインS（3）で刺す。

2 1の2枚を中表に合わせ、返し口3cmを残して縫う。

3 返し口から表に返して形を整えたら、手芸わたを詰めて、返し口をまつり縫いでとじる。

Margaret
サシェ

Page. 41

【 仕上りサイズ 】
11×6cm

【 25番刺繍糸 】
DMC B5200 ー1束

【 材料 】(1個分)
表布：リネン（ブラック）ー25×10cm
0.2cm幅サテンリボン（好みの色）
　　ー約40cm
ポプリー適量

【 作り方 】

1 表布の表に、下図の位置に図案（p.72）を写して刺繡をしたら、縫い代1.5cmを足して裁つ。

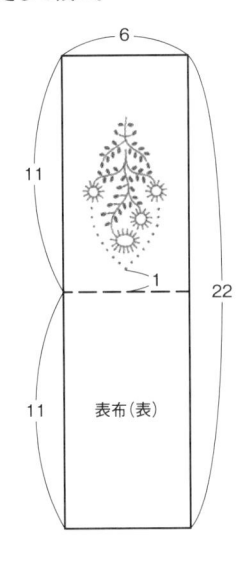

6
11
1
22
11
表布（表）

2 袋口の部分を三つ折りにし、ミシンステッチをかける。

3 2を中表に二つ折りにして両脇を縫い合わせ、縫い代を0.5cm残して裁つ。

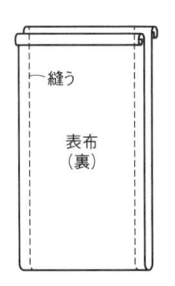

縫う
表布（裏）

4 3を表に返して形を整え、両脇の端から0.3～0.4cmの位置にミシンステッチをかける。

表布（表）
ミシンステッチ

5 好みのポプリを入れて、袋口を0.2cm幅サテンリボンで結ぶ。

Whale
スタイ

Page. 43

【 仕上りサイズ 】

24×22cm（首回り約21～25cm）

【 25番刺繡糸 】

DMC 3819 — 2束

【 材料 】

表布：リネン（青）— 30×25cm

裏布：リネン（生成り）— 30×25cm

直径4cm丸形面ファスナー — 1組み

【 作り方 】

1 表布の表に図案、裏に型紙（p.95）を写して刺繡をしたら、縫い代1cmを足して裁つ。

2 裏布も表布と同様に裁ち、1 の表布と中表に合わせる。返し口5cmを残して縫う。

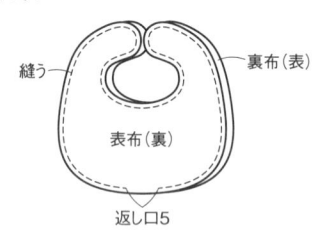

3 縫い代0.5cmを残して裁つ。さらにカーブにそって縫い代に切込みを入れると、カーブが美しく仕上がる。

4 返し口から表に返し、返し口をまつり縫いでとじる。

5 面ファスナーを縫いつける。

Dandelion
Tシャツ

Page. 45

【25番刺繍糸】

A（グリーン）：DMC 3820 ― 1束

B（ピンク）：DMC 502 ― 1束

【材料】

市販の子ども用Tシャツ

【作り方】

Tシャツの好みの位置に図案（p.72）を写して刺繍をする。

Feather
ベビードレス

Page. 47

【25番刺繍糸】

DMC 758 ― 3束

【材料】

市販のベビードレス

【作り方】

ベビードレスの裾に好みのバランスで図案（p.75）を写して刺繍をする。

〈 型紙 〉

Botanical garden
がま口ポーチ
Page.56

◎ 200%に拡大
◎ 刺し方は p.58

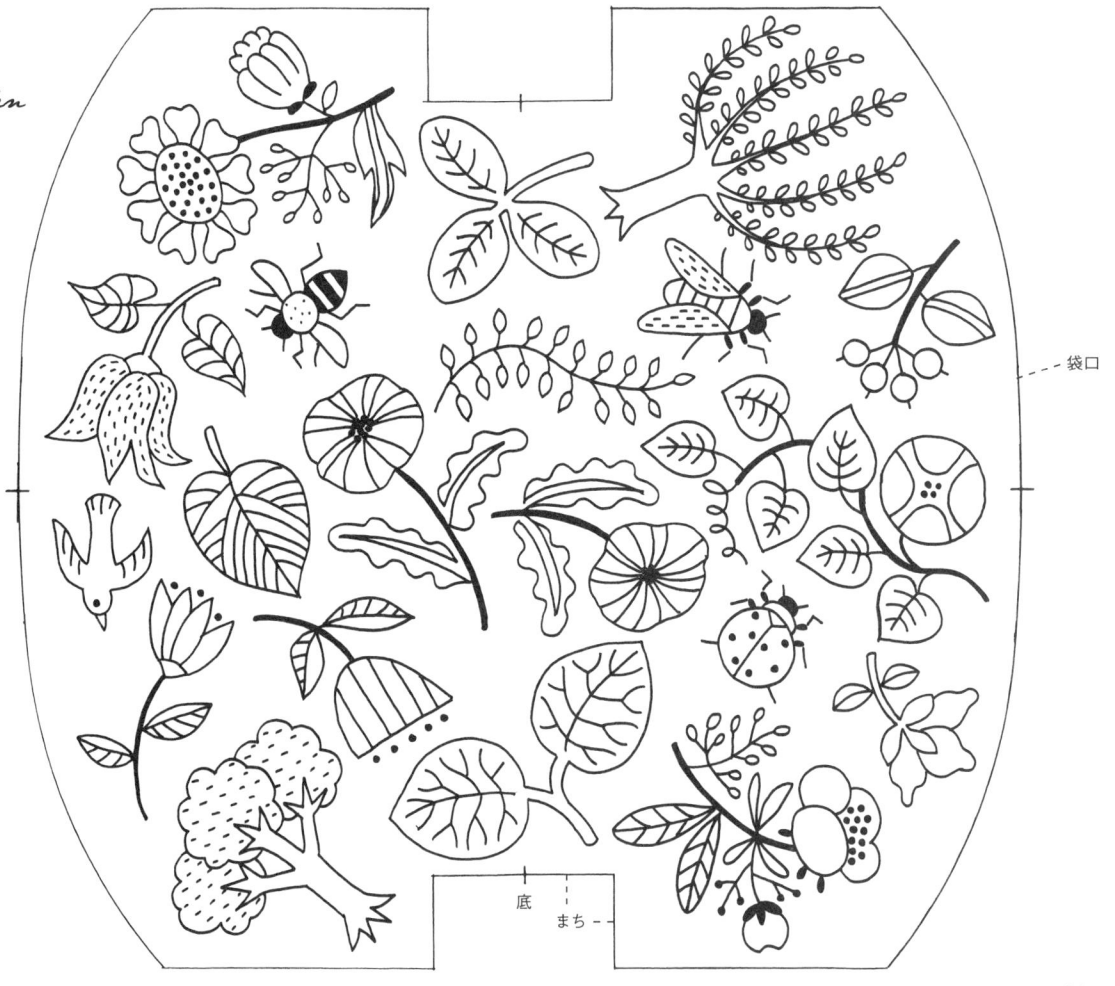

袋口

底　まち

Mimosa
ハットタイ
Page.78

◎矢先部分
　実物大型紙

Coral
がま口ポーチ
Page.80

◎ 200％に拡大
◎ 刺し方は p.66

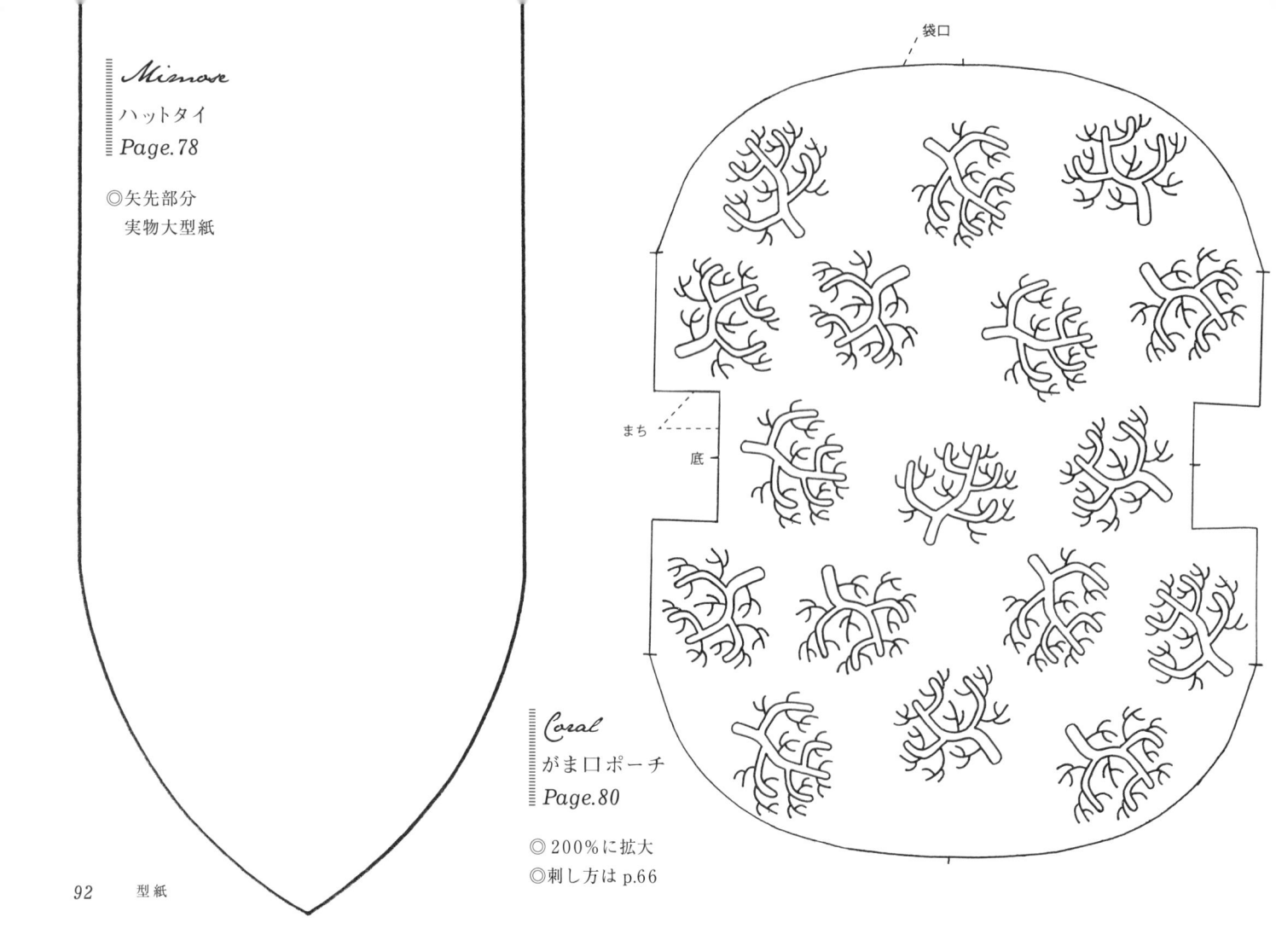

袋口

まち
底

Soft flower
つけ衿
Page.78

◎ 200%に拡大
◎ 刺し方は p.64

Birds
オーナメント
Page.88

◎実物大型紙

93

Snow crystal
湯たんぽケース
Page.85

◎ 200%に拡大
◎ 刺し方は p.72

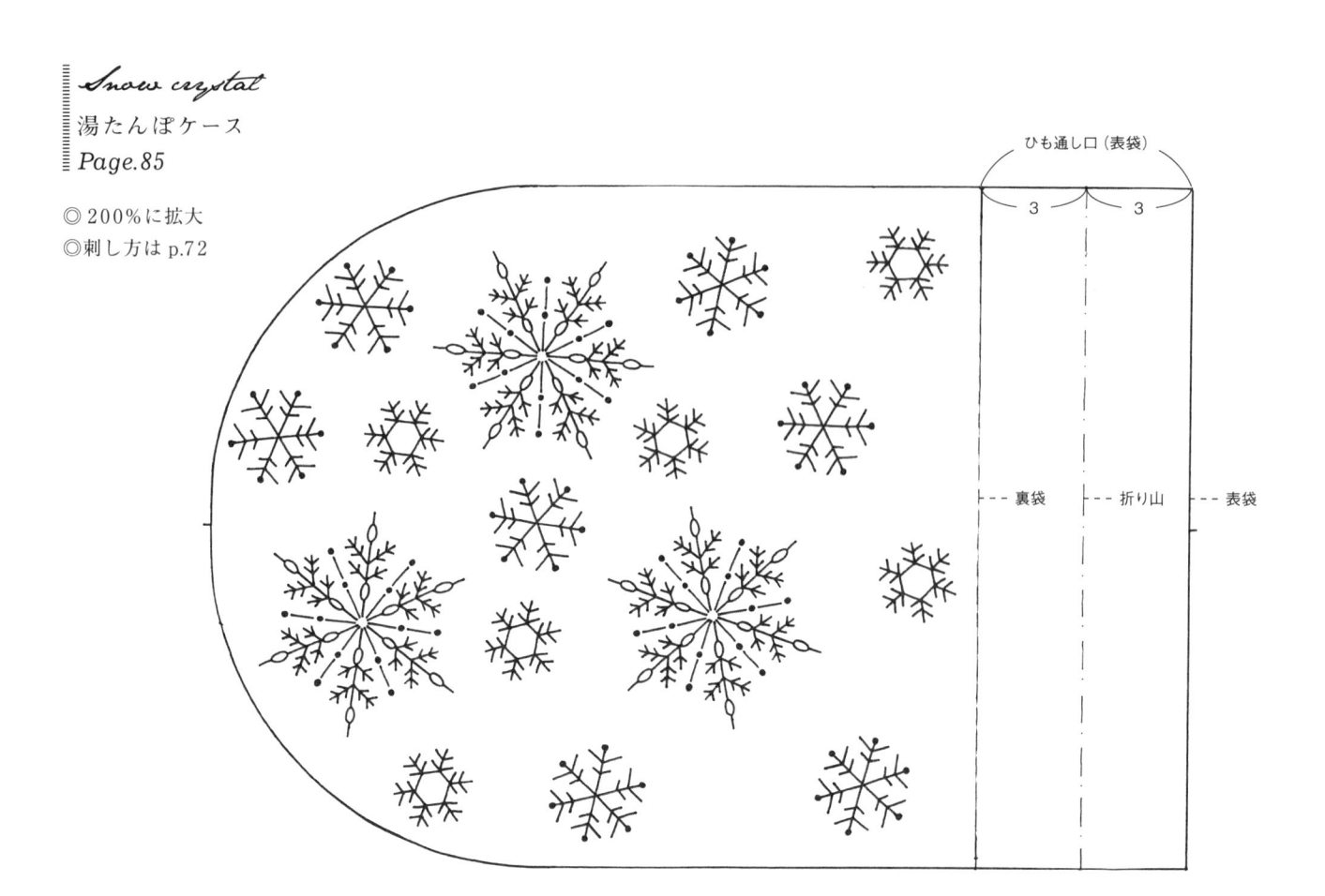

ひも通し口（表袋）

3 | 3

裏袋 ・・・ 折り山 ・・・ 表袋

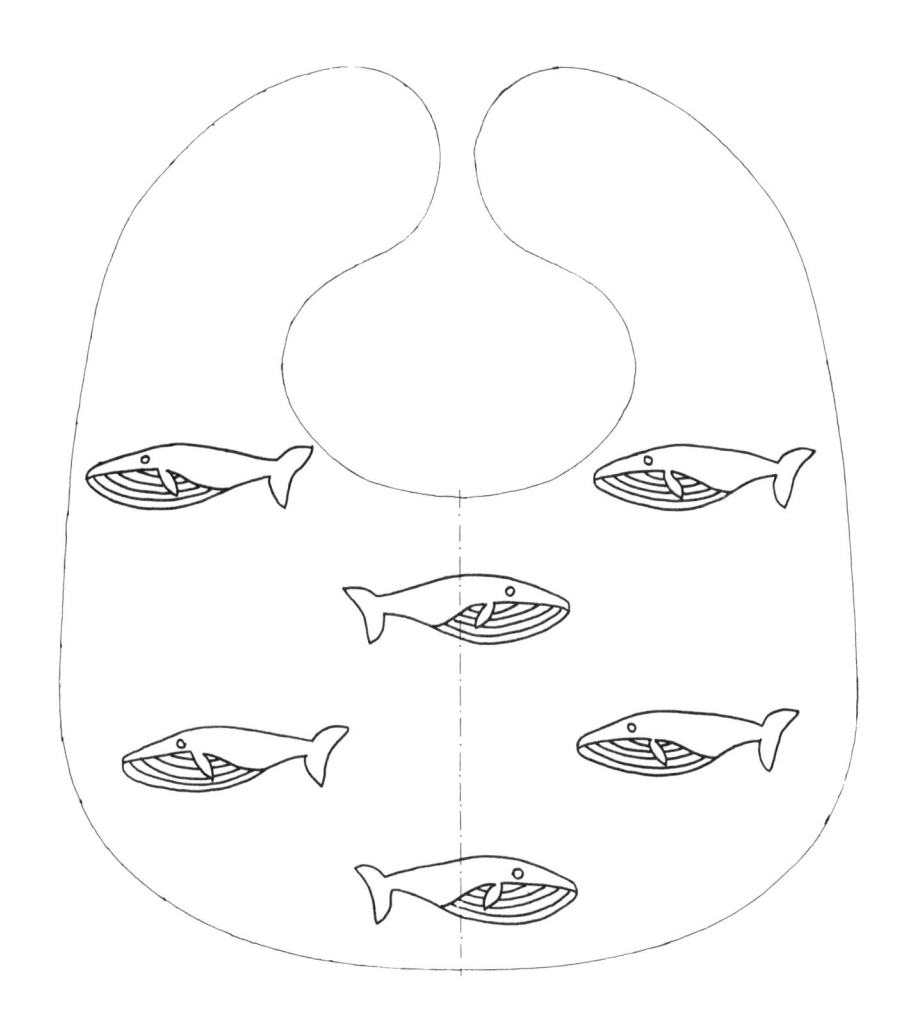

Whale
スタイ
Page.89

◎ 200%に拡大
◎ 刺し方は p.75

樋口愉美子（ひぐち・ゆみこ）

1975年生れ。多摩美術大学卒業後、ハンドメードバッグデザイナーとして活動。ショップでの作品販売や作品展を行なった後、2008年より刺繡作家としての活動を開始する。植物や昆虫など生物をモチーフにしたオリジナル刺繡を製作発表している。
http://yumikohiguchi.com

1色刺繡と小さな雑貨

文化出版局編

2013年10月13日　第1刷発行
2021年10月 5 日　第23刷発行

発行者　　　濱田勝宏
発行所　　　学校法人文化学園 文化出版局
　　　　　　〒151-8524 東京都渋谷区代々木3-22-1
　　　　　　電話 03-3299-2485（編集）　03-3299-2540（営業）
印刷・製本所　株式会社文化カラー印刷

© 学校法人文化学園 文化出版局 2013 Printed in Japan
本書の写真、カット及び内容の無断転載を禁じます。

• 本書のコピー、スキャン、デジタル化等の無断複製は著作権法上での例外を除き禁じられています。本書を代行業者等の第三者に依頼してスキャンやデジタル化することは、たとえ個人や家庭内での利用でも著作権法違反になります。
• 本書で紹介した作品の全部または一部を商品化、複製頒布、及びコンクールなどの応募作品として出品することは禁じられています。
• 撮影状況や印刷により、作品の色は実物と多少異なる場合があります。ご了承ください。

文化出版局のホームページ　http://books.bunka.ac.jp/

材料協力	オカダヤ新宿本店 東京都新宿区新宿 3-23-17 Tel. 03-3352-5411 http://www.okadaya.co.jp/shinjuku/ ※リネン、バネ口金
	DMC Tel. 03-5296-7831 http://www.dmc.com http://www.dmc-kk.com
	株式会社 角田商店 東京都台東区鳥越 2-14-10 Tel. 03-3851-8186 http://shop.towanny.com/ ※がま口口金
撮影協力	Olgou 東京都目黒区上目黒 1-10-6 パインヴィレッジ代官山100 Tel. 03-3463-0509 ※モデル着用のワンピースとサボ、p.15の麦わら帽子
	AWABEES Tel. 03-5786-1600
	UTUWA Tel. 03-6447-0070
ブックデザイン	塚田佳奈（ME&MIRACO）
撮影	masaco
スタイリング	前田かおり
ヘアメイク	KOMAKI
モデル	レイチェル・マックマスター（Sugar&Spice）
トレース＆DTP	土屋裕子（WADE）
校閲	向井雅子
編集	土屋まり子（スリーシーズン） 西森知子（文化出版局）